Gwyddoniaeth Gynradd Nuffield

Archwilio Prosesau A Chysyniadau G

C000047737

SAIN
A CHERDDORIAETH

OED
7-12

COLEG Y DRINDOD, CAERFYRDDIN
GWYDDONIAETH SCIENCE DEPT
TRINITY COLLEGE, CARMARTHEN

Canllaw Athrawon

Y Drindod Dewi Sant
Trinity Saint David
TYNNWYD O STOC
WITHDRAWN FROM
CAU
LRC

COLEG Y DRINDOD/TRINITY COLLEGE
3 8051 00181 145 3

COLEG Y DRINDON CAERFYRDDIN
LLYFRGELL LIBRARY
TRINITY COLLEGE CARMARTHEN

GWYDDONIAETH GYNRADD NUFFIELD
Archwilio Prosesau a Chysyniadau Gwyddonol

Addasiad Cymraeg
Ken a Sian Owen

Cyfarwyddwyr
Paul Black
Wynne Harlen

Dirprwy Gyfarwyddwr
Terry Russell

Aelodau'r project
Robert Austin
Derek Bell
Adrian Hughes
Ken Longden
John Meadows
Linda McGuigan
Jonathan Osborne
Pamela Wadsworth
Dorothy Watt

Dylunio gan Carla Turchini, Chi Leung
Darluniau gan Hemesh Alles, John Booth, Maureen Hallahan, Mary Lonsdale, Karen Tushingham, Jakki Wood

Comisiynwyd ffotograffau gan Oliver Hatch

Carai'r Ymddiriedolaeth a'r Cyhoeddwyr ddiolch i lywodraethwyr, staff a disgyblion Ysgol Gynradd Hillbrook, Tooting, am eu cydweithrediad caredig wrth dynnu nifer o'r ffotograffau yn y llyfr hwn.

Ymgynghorydd diogelwch
Peter Borrows

Cyfranwyr eraill
Elizabeth Harris
Carol Joyes
Anne de Normanville
Ralph Hancock

Cyhoeddwyd 1998 gan Wasg y Dref Wen
28 Church Road, Yr Eglwys Newydd,
Caerdydd CF4 2EA
Ffôn 01222 617860

© Nuffield-Chelsea Curriculum Trust 1993, 1995

© y cyhoeddiad Cymraeg 1998 Awdurdod Cwricwlwm ac Asesu Cymru

Mae hawlfraint ar y deunyddiau hyn ac ni ellir eu hatgynhyrchu na'u cyhoeddi heb ganiatâd perchennog yr hawlfraint.

Cyhoeddwyd gyntaf yn Saesneg ym 1993 gan Collins Educational, gwasgnod o eiddo HarperCollins Publishers, yn y gyfres Nuffield Primary Science, Science Processes and Concept Exploration, dan y teitl *Sound and Music: Teachers' Guide.*

Cedwir pob hawlfraint. Ni chaiff unrhyw ran o'r llyfr hwn ei hatgynhyrchu na'i storio mewn system adferadwy na'i hanfon allan mewn unrhyw ffordd na thrwy unrhyw gyfrwng electronig, peirianyddol, llungopïo, recordio nac unrhyw ffordd arall, heb ganiatâd ymlaen llaw gan berchennog yr hawlfraint.

Argraffwyd ym Mhrydain.

Cynnwys

Pennod 1

	Rhagarweiniad	*tudalen* **5**
1.1	Dull SPACE o addysgu a dysgu gwyddoniaeth	5
1.2	Strategaethau defnyddiol	6
1.3	Cyfleoedd cyfartal	7
1.4	Sain a cherddoriaeth a'r cwricwlwm	8
1.5	Gwyddoniaeth Arbrofol ac Ymchwiliol	10

Pennod 2

	Cynllunio	*tudalen* **12**
2.1	Rhagarweiniad: cynllunio o safbwynt syniadau'r plant	12
2.2	Topigau trawsgwricwlaidd	12
2.3	Enghreifftiau o gynllunio topig	14
2.4	Defnyddio technoleg gwybodaeth	17
2.5	Llyfrau disgyblion	17
2.6	Cynllunio eich rhaglen wyddoniaeth yn yr ysgol	22
2.7	Adnoddau	25
2.8	Rhybuddion	25

Pennod 3

	Archwilio sain a cherddoriaeth	*tudalen* **27**
	Trefnydd themâu	27
3.1	Gwneud a derbyn seiniau	28
	Golwg ar wneud a derbyn seiniau	29
	Canfod syniadau'r plant: gweithgareddau dechreuol	30
	Syniadau'r plant	33
	Helpu plant ddatblygu eu syniadau	37
3.2	Seiniau yn teithio	48
	Golwg ar seiniau yn teithio	49
	Canfod syniadau'r plant: gweithgareddau dechreuol	50
	Syniadau'r plant	53
	Helpu plant ddatblygu eu syniadau	58

Pennod 4

Asesu	*tudalen* **66**

Pennod 5

Cefndir gwyddonol	*tudalen* **73**
Mynegai	*tudalen* 82

Eglurhad o'r symbolau ar ymyl y tudalennau

 Rhybudd

 Cyfleoedd da i ddatblygu ac asesu gwaith yn gysylltiedig â Gwyddoniaeth Arbrofol ac Ymchwiliol

 Nodiadau a allai fod o ddefnydd i athrawon

 Gwaith geirfa

 Cyfleoedd i blant ddefnyddio technoleg gwybodaeth

 Offer angenrheidiol

 Cyfeirio at lyfrau disgyblion

PENNOD 1 | Rhagarweiniad

1.1 Dull SPACE o addysgu a dysgu gwyddoniaeth

Ar yr olwg gyntaf, mae'n bosibl na fyddai ystafell ddosbarth gynradd lle defnyddir ymdriniaeth SPACE (*Science Processes And Concept Exploration*) o wyddoniaeth yn ymddangos yn wahanol i unrhyw ddosbarth arall sy'n gwneud gweithgareddau gwyddoniaeth; yn y naill a'r llall, bydd plant wrthi yn feddyliol a chorfforol yn archwilio gwrthrychau a digwyddiadau yn y byd o'u cwmpas. Ond, o edrych yn fwy gofalus, gwelir bod gweithgareddau'r plant yn ogystal â rôl yr athro/athrawes yn wahanol i'r rhai a geir mewn ymdriniaethau eraill. Nid yw'r plant yn dilyn cyfarwyddiadau a roddir gan eraill; nid ydynt yn datrys problem a osodir gan rywun arall. Maent wedi ymgolli mewn gwaith sy'n seiliedig ar eu syniadau eu hunain, ac mae ganddynt ran yn y penderfyniadau ynglŷn â sut i wneud hynny.

Bydd yr athrawon, wrth reswm, wedi ymbaratoi'n ofalus i gyrraedd y cam lle bydd plant yn rhoi eu syniadau eu hunain ar brawf. Byddant wedi troi at y pwnc trwy roi cyfleoedd i'r plant archwilio o'u profiad eu hunain sefyllfaoedd sy'n ymgorffori syniadau gwyddonol pwysig. Bydd yr athrawon wedi sicrhau bod y plant wedi mynegi eu syniadau am yr hyn y maent yn ei archwilio, gan ddefnyddio un neu ragor o ymdriniaethau posibl – o drafodaeth rhwng y dosbarth cyfan i siarad â phlant unigol, neu ofyn i blant ysgrifennu neu dynnu lluniau – a byddant wedi archwilio rhesymau'r plant dros fod yn berchen ar y syniadau hynny.

Gyda'r wybodaeth hon, bydd yr athrawon wedi penderfynu sut i helpu'r plant feithrin neu adolygu eu syniadau. Gallai hynny olygu gwneud i'r plant ddefnyddio'r syniadau i ragfynegi, cyn rhoi prawf ar y rhagfynegiad i weld a yw'n gweithio'n ymarferol; neu gallai'r plant gasglu rhagor o wybodaeth i'w thrafod a'i hystyried. Yn arbennig, bydd yr athrawon yn nodi pa mor 'wyddonol' y bu'r plant yn casglu a defnyddio tystiolaeth; a dylent, trwy gwestiynu'n ofalus, annog rhagor o fanwl gywirdeb wrth ddefnyddio'r medrau sy'n perthyn i'r prosesau gwyddonol.

Mae'n hanfodol mai'r plant sy'n newid eu syniadau o ganlyniad i'r hyn y maent yn ei ddarganfod eu hunain, ac nad ydynt yn syml yn derbyn syniadau a gyflwynir iddynt fel 'gwell syniadau'.

Trwy archwilio syniadau'r plant yn ofalus, eu cymryd o ddifrif a dewis ffyrdd priodol o helpu'r plant roi prawf ar y syniadau hynny, gall athrawon symud y plant tuag at syniadau sy'n fwy cyson gymwys ac yn gweddu'n well o ran y dystiolaeth – rhai sydd, yn fyr, yn fwy gwyddonol.

Fe gewch ragor o wybodaeth am ymdriniaeth SPACE yn y llawlyfr i gydgysylltwyr gwyddoniaeth sy'n rhan o Wyddoniaeth Gynradd Nuffield.

1.2 Strategaethau defnyddiol

Canfod syniadau'r plant

Mae'r canllaw hwn yn cyfeirio at lawer o gyfleoedd ar gyfer canfod syniadau'r plant. Un ffordd, yn syml, yw siarad, ond mae nifer o ffyrdd eraill. Gwelsom fod y strategaethau canlynol yn effeithiol. Mae'r ffordd rydych yn eu defnyddio yn gallu amrywio gan ddibynnu ar y maes gwyddonol sydd dan sylw. Mae enghreifftiau o'r strategaethau hyn ym Mhennod 3. Rhoddir rhagor o wybodaeth amdanynt yn y llawlyfr i gydgysylltwyr gwyddoniaeth.

Siarad a chwestiynu agored

Gall trafodaethau gyda'r dosbarth cyfan fod yn ddefnyddiol ar gyfer rhannu syniadau, ond nid ydynt bob amser yn rhoi cyfle i bob plentyn siarad. Mae'n aml yn fuddiol os rhoddir cyfle i blant feddwl am eu syniadau eu hunain yn gyntaf, o bosibl trwy dynnu lluniau i'w hegluro, ac yna eu hannog i rannu'r syniadau ag eraill – o bosibl ag un plentyn arall, neu gyda grŵp mwy.

Lluniau a geiriau

Trwy ofyn i blant dynnu llun o'u syniadau, gellir cael golwg arbennig o glir ar yr hyn y maent yn ei feddwl. Mae'n rhoi cyfle i chi hefyd drafod eu syniadau â'r plant eu hunain. Yna gallwch chi neu'r plentyn ychwanegu geiriau sy'n cyfleu'r syniadau hyn at y llun, yn ystod y drafodaeth, er mwyn egluro'r hyn a ddangosir. Gellir cadw gwaith o'r fath yn gofnod parhaol.

Didoli a dosbarthu

Gall hyn fod yn ffordd ddefnyddiol o helpu'r plant egluro eu syniadau a chofnodi eu meddyliau. Gallent ddidoli casgliad o eitemau neu ddarluniau yn grwpiau.

Ysgrifennu syniadau

Gallai'r plant hefyd ysgrifennu eu hatebion i gwestiynau y byddwch chi'n eu gofyn. Mae ysgrifennu yn rhoi cyfle i'r plant fynegi eu syniadau eu hunain, cyn eu rhannu â phobl eraill, neu ymchwilio ymhellach iddynt.

Llyfrau cofnod a dyddiaduron

Gellir cadw'r rhain i gofnodi newidiadau yn ystod ymchwiliad hirach. Nid oes angen i blant unigol eu cadw o anghenraid, ond gallai grŵp neu ddosbarth cyfan eu cadw. Gall plant gofnodi eu syniadau, ar ffurf geiriau neu ddarluniau, pan sylwant ar unrhyw newidiadau, a'r rhesymau yn eu tyb hwy dros yr hyn a welant.

Helpu'r plant ddatblygu eu syniadau

Gadael i'r plant roi prawf ar eu syniadau eu hunain

Trwy wneud hyn bydd y plant yn defnyddio rhai o'r medrau sy'n perthyn i'r prosesau gwyddonol:

- arsylwi
- mesur
- damcaniaethu
- rhagfynegi
- cynllunio a chynnal profion teg
- dehongli canlyniadau a darganfyddiadau
- cyfathrebu

Mae hon yn strategaeth bwysig y gellir, ac y dylid, ei defnyddio'n aml. Er mwyn *datblygu* y medrau sy'n perthyn i brosesau gwyddonol, y mae'n rhaid eu *defnyddio* – er enghraifft, trwy roi mwy o sylw i fanylder wrth arsylwi, rheoli newidynnau yn fwy gofalus wrth gynnal profion teg, ac ystyried yr holl dystiolaeth wrth ddehongli'r canlyniadau.

Annog cyffredinoli o un cyd-destun i un arall

Wrth drafod un digwyddiad, ystyriwch a yw'r esboniad a gynigir yn berthnasol mewn cyd-destun arall sy'n dibynnu ar yr un cysyniad gwyddonol. Gallech chi neu'r plant awgrymu cyd-destunau eraill i'w harchwilio. Gellid gwneud hyn trwy drafod y dystiolaeth o blaid ac yn erbyn yr esboniad, neu drwy gasglu rhagor o wybodaeth a rhoi prawf ar y syniad yn y cyd-destun arall, gan ddibynnu ar ba mor gyfarwydd yw'r plant â'r digwyddiadau dan sylw.

Trafod y geiriau a ddefnyddir gan y plant i ddisgrifio eu syniadau

Gellir gofyn i blant fod yn eithaf penodol ynglŷn ag ystyr y geiriau a ddefnyddiant, boed wyddonol ai peidio. Gellir eu hannog i feddwl am eiriau eraill sydd â bron yr un ystyr. Lle bo'n briodol, gallant drafod geiriau sydd ag ystyr arbennig mewn cyd-destun gwyddonol, a thrwy hynny eu cynorthwyo i sylweddoli bod gwahaniaeth rhwng defnydd 'bob-dydd' rhai geiriau a'u defnydd gwyddonol.

Ehangu ystod y dystiolaeth

Mae'n debyg y bydd rhai o syniadau'r plant yn gyson â'r dystiolaeth fu ar gael iddynt hyd at hynny, ond gellid eu herio trwy ymestyn y dystiolaeth honno. Mae hyn yn arbennig o berthnasol ar gyfer pethau y mae'n anodd arsylwi arnynt, fel newidiadau araf; neu rai sydd fel arfer ynghudd, fel rhannau mewnol gwrthrychau. Trwy geisio gwneud y pethau anweladwy hyn yn ddealladwy, yn aml trwy ddefnyddio ffynonellau eilaidd, mae'r plant yn raddol yn dod i ystyried ystod ehangach o dystiolaeth.

Annog plant i gyfathrebu eu syniadau

Mae mynegi syniadau mewn unrhyw ffordd – trwy ysgrifennu, tynnu lluniau, modelu neu, yn arbennig, trwy drafod – yn golygu meddwl yn drefnus am bethau ac yn aml ailfeddwl ac adolygu'r syniadau. Mae i drafodaeth fantais bellach o ran ei bod yn broses ddwy ffordd, a gall plant osod syniadau pobl eraill ochr yn ochr â'u syniadau eu hunain. Mae'r cam syml o sylweddoli bod gwahanol syniadau yn bodoli yn eu helpu i ailystyried eu syniadau eu hunain.

1.3 Cyfleoedd cyfartal

Mae ymdriniaeth SPACE o addysgu a dysgu gwyddoniaeth yn rhoi cyfleoedd i bob plentyn sefydlu a datblygu ei brofiadau, ei fedrau a'i syniadau. Felly, gall defnyddio'r ymdriniaeth fod o fudd i ddisgyblion o bob math ac ar unrhyw gam yn eu datblygiad. Trafodir hyn yn llawn yn y llawlyfr i gydgysylltwyr gwyddoniaeth.

1.4 Sain a cherddoriaeth a'r cwricwlwm

Rhennir y canllaw athrawon hwn yn bedair thema; ym mhob thema, mae adran am ganfod syniadau'r plant, enghreifftiau o syniadau plant, ac adran ar helpu plant ddatblygu eu syniadau.

Themâu Gwyddoniaeth Gynradd Nuffield

Gwneud a derbyn seiniau

Mae'r thema hon yn dangos sut y gellid helpu'r plant ddatblygu eu syniadau am sut y mae seiniau'n cael eu cynhyrchu a sut y mae sain yn cael ei derbyn.

Mae llawer o blant yn cysylltu cynhyrchu seiniau â gweithred gorfforol fel taro drwm, eto, yn aml iawn, nid ydynt yn ymwybodol bod rhywbeth yn dirgrynu. Efallai y bydd plant eraill yn sylwi ar ddirgryniad yr un adeg â'r sain, ond heb ddangos llawer o ymwybyddiaeth o'r cysylltiad rhwng y ddau. Bydd ychydig o blant yn gallu awgrymu cysylltiad rhwng y dirgryniad a'r sain. Efallai y byddant yn awgrymu bod seiniau'n achosi dirgryniadau neu fod dirgryniadau yn achosi seiniau. Bydd nifer fechan o blant yng Nghyfnod Allweddol 2 yn ystyried seiniau yn gyfystyr â dirgryniadau. Bydd disgyblion yn aml yn egluro eu bod yn clywed seiniau gyda'u clustiau; ond, anaml y byddant yn sôn am bilen y glust. Bydd rhai yn ymwybodol fod yr ymennydd hefyd yn helpu pobl glywed. O fewn y thema mae awgrymiadau am ffyrdd y gall y plant archwilio sut mae gwneud seiniau. Maent yn cynnwys gwneud offerynnau eu hunain a gwneud effeithiau sain. Trwy ymchwilio a thrafod dylai'r plant ddatblygu eu dealltwriaeth o sut y mae seiniau'n cael eu cynhyrchu. Mae rhai awgrymiadau hefyd am sut y gallai'r plant ymchwilio i sut y clywir seiniau. Mae'r thema hefyd yn cyfeirio at ffyrdd o ddefnyddio ffynonellau eilaidd a thrafodaeth yn y dosbarth i ddatblygu syniadau'r plant am dderbyn seiniau. Bydd y profiadau hyn yn sail ar gyfer datblygu dealltwriaeth o sut y mae amledd ac osgled y dirgryniadau yn effeithio ar y seiniau.

Seiniau yn teithio

Mae'r thema hon yn dangos sut y gellid helpu'r plant ddeall sut y mae seiniau yn teithio.

Ni fydd rhai o'r plant yng Nghyfnod Allweddol 2 yn deall bod sain yn teithio oddi wrth ffynhonnell y sain. Mae plant eraill fel arfer yn credu bod seiniau yn cael eu cario mewn darnau o aer, o'r ffynhonnell sain at y derbynnydd. Ychydig iawn o blant ar ddechrau Cyfnod Allweddol 2 a fydd yn ymwybodol bod sain yn teithio i bob cyfeiriad, ac y gall sain deithio trwy wahanol ddefnyddiau.

O fewn y thema hon mae awgrymiadau am sut y gall plant ddatblygu eu syniadau am seiniau'n teithio. Maent yn cynnwys ymchwilio i'r cwestiwn a all seiniau deithio trwy ddefnyddiau fel llinyn, gwifren, gwlân a phren. Awgrymir cynnal trafodaethau yn y dosbarth fel un ffordd o gyfnewid syniadau am sut y gallai seiniau deithio trwy wahanol sylweddau. Mae awgrymiadau hefyd ynglŷn â sut y gallai plant archwilio i weld a yw sain yn teithio mewn gwahanol gyfeiriadau. Trwy gael profiad uniongyrchol o atseiniau, a thrafodaethau ynglŷn â sut y gellid cynhyrchu atseiniau, gellir datblygu syniadau'r plant am adlewyrchu seiniau. Mae awgrymiadau hefyd am sut y gellir helpu'r plant ddod yn ymwybodol fod goleuni yn teithio'n gyflymach na sain trwy drafod digwyddiadau real. Bydd y profiadau hyn yn sail ar gyfer datblygu eu dealltwriaeth o drosglwyddo sain a goleuni.

Prosesau Ffisegol

3 Goleuni a sain

e bod seiniau'n cael eu gwneud pan fydd gwrthrychau yn dirgrynu ond nad yw dirgryniadau bob amser yn uniongyrchol weladwy;

f bod modd newid traw a seinfanedd seiniau a gynhyrchir gan rai gwrthrychau sy'n dirgrynu.

Prosesau Ffisegol

3 Goleuni a sain

g bod modd i ddirgryniadau o ffynonellau sain deithio drwy amrywiaeth o ddefnyddiau i'r glust.

1.5 Gwyddoniaeth Arbrofol ac Ymchwiliol

Dwy agwedd bwysig ar addysg wyddoniaeth y plant yw:

◆ dysgu sut i ymchwilio i'r byd o'u cwmpas;
◆ dysgu gwneud synnwyr o'r byd o'u cwmpas gan ddefnyddio syniadau gwyddonol.

Adlewyrchir y rhain yn y Cwricwlwm Cenedlaethol. Mae 'Gwyddoniaeth Arbrofol ac Ymchwiliol' yn cwmpasu'r agwedd gyntaf. Cwmpasir yr ail agwedd gan weddill y Rhaglen Astudio. Er i'r ddwy agwedd o addysg wyddonol gael eu gwahanu yn y Cwricwlwm Cenedlaethol, ni ellir eu gwahanu'n ymarferol ac nid yw'n ddefnyddiol ceisio gwneud hynny. Trwy ymchwilio bydd plant yn archwilio eu syniadau a/neu'n rhoi prawf ar y syniadau sy'n codi o drafodaeth. O ganlyniad, gellir rhoi hwb ymlaen i'r syniadau, ond bydd hynny'n dibynnu ar fedrau ymchwiliol y plant. O'r herwydd, mae'n bwysig datblygu'r medrau hyn yng nghyd-destun gweithgareddau a fydd yn ehangu syniadau. Felly yng Ngwyddoniaeth Gynradd Nuffield ni cheir canllaw ar wahân i athrawon ar ymchwiliadau gwyddonol, oherwydd mae cyfleoedd i'w cynnal yn codi trwy'r holl ganllawiau ac maent yn rhan hanfodol o ymdriniaeth SPACE.

Felly yn y canllaw hwn fe welwch ymchwiliadau a fydd yn rhoi cyfleoedd i ddatblygu ac asesu'r medrau a'r ddealltwriaeth a ddisgrifir yn yr adran

Gwyddoniaeth Arbrofol ac Ymchwiliol. Caiff y rhain eu dynodi yn y testun â'r symbol a ddangosir yma. Yn y canllaw hwn i athrawon, yr ymchwiliad sy'n cwmpasu'r mwyaf o fedrau yw 'Cymharu offerynnau tebyg' (tudalen 40); a 'Pa seiniau yw'r hawsaf i'w clywed' (tudalen 44).

Mae'n bwysig i athrawon roi arweiniad gweithredol i ddisgyblion yn ystod yr ymchwiliadau i'w helpu i weld ffyrdd o wella'r modd y maent yn cynllunio a chynnal eu hymchwiliadau.

Mae Gwyddoniaeth Arbrofol ac Ymchwiliol yn ymwneud â'r ffyrdd y gellir dod o hyd i dystiolaeth wyddonol, am y ffyrdd y gwneir arsylwadau a mesuriadau, ac am y ffordd y dadansoddir y dystiolaeth. Felly mae'n pennu tair ffordd y gall disgyblion ddatblygu eu gallu i wneud gwyddoniaeth arbrofol ac ymchwiliol, fel a ganlyn:-

1 'Cynllunio gwaith arbrofol.' Yma, dylid helpu'r plant symud ymlaen o ofyn cwestiynau cyffredinol a phenagored, i awgrymu syniadau y gellid rhoi prawf arnynt. Dylai trafodaethau athrawon â disgyblion geisio helpu'r disgyblion ragfynegi, gan ddefnyddio eu dealltwriaeth ar y pryd, ac ar sail hynny benderfynu pa dystiolaeth y dylid ei chasglu. Dylai hyn eu harwain i ystyried pa offer a chyfarpar y dylent eu defnyddio.

Wrth i blant ddisgrifio cynlluniau ar gyfer eu gwaith, dylid helpu'r plant ystyried pa nodweddion y maent am eu newid, pa rai o effeithiau'r newidiadau hyn y maent am arsylwi arnynt neu eu mesur, a pha nodweddion y dylid eu cadw'n sefydlog. Fel hyn, gallant ddod i ddeall beth yw ystyr 'prawf teg'.

2 'Dod o hyd i dystiolaeth.' Dylai plant wneud arsylwadau yn tarddu o'u syniadau am yr hyn y maent yn chwilio amdano a pham. Wrth iddynt ddisgrifio eu harsylwadau, efallai y bydd yn rhaid i athrawon helpu'r plant wella, er enghraifft trwy eu hatgoffa o'u hamcanion a'u cynllun gwreiddiol ar gyfer y gwaith. Dylai cymorth o'r fath annog cynnydd, o wneud cymariaethau a barnu'n ansoddol at werthfawrogi gwerth gwneud mesuriadau meintiol (er enghraifft mae 'dŵr oer' yn ansoddol, ond 'dŵr ar 12 °C' yn feintiol). Dylai hyn arwain at ddatblygu eu medrau wrth ddefnyddio nifer o ddarnau o offer ac at gynyddu gofal a manwl-gywirdeb wrth fesur, gan gynnwys, er enghraifft, mesur fwy nag unwaith er mwyn gwirio.

3 'Ystyried tystiolaeth.' Yma, dylai plant ddysgu'n gyntaf i gofnodi eu tystiolaeth mewn ffyrdd systematig ac eglur, gan ddechrau â lluniau syml ac yna dysgu defnyddio tablau, siartiau bar a graffiau llinell i arddangos y patrymau mewn data rhifyddol. Yna dylid gofyn iddynt ystyried a thrafod eu canlyniadau, gan ystyried yr hyn y gellid ei ddysgu o unrhyw dueddiadau neu batrymau. Wrth i syniadau ddatblygu, dylent gymryd gofal wrth wirio eu tystiolaeth gyferbyn â'r syniad gwreiddiol oedd wrth wraidd yr ymchwiliad a dylent ddod yn fwyfwy beirniadol wrth drafod esboniadau eraill a allai ffitio eu tystiolaeth. Mewn trafodaethau o'r fath, dylid helpu'r plant gysylltu eu dadleuon â'u dealltwriaeth wyddonol ddatblygol. Hefyd dylid eu harwain i weld posibiliadau cynnal eu hymchwiliad yn fwy gofalus, neu mewn ffyrdd hollol wahanol.

Er y gall y tri cham uchod ymddangos yn ddilyniant naturiol, mae'n bosibl na fydd gwaith plant yn dilyn y drefn arbennig hon. Er enghraifft, efallai y bydd rhai yn dechrau â thystiolaeth o'u harsylwadau a symud ymlaen ar sail hynny i gynnig damcaniaeth a chynllun i roi prawf arni. I eraill, gall canlyniadau un dasg fod yn fan cychwyn ar gyfer ymchwiliad newydd sy'n cynnwys mesuriadau newydd. Gallai plant ddysgu llawer am sut i ymchwilio pe ceid sefyllfa'n ymdrin â dim ond un neu ddwy o'r agweddau uchod ar ymchwiliad, neu petai'r athrawon yn sôn wrth y plant am rai agweddau fel y gallont ganolbwyntio ar eraill. Serch hynny, ar rai achlysuron dylai'r disgyblion eu hunain gynnal yr holl broses ymchwilio ar eu pen eu hunain.

Dadansoddir yr enghreifftiau asesu a roddir ym mhennod 4 o safbwynt y disgrifiadau o lefelau, sy'n disgrifio cynnydd plant mewn perthynas â'r tair agwedd ganlynol: *cynllunio gwaith arbrofol, dod o hyd i dystiolaeth* ac *ystyried tystiolaeth*. Felly, mae'r tair hyn yn rhoi fframwaith ar gyfer arwain y plant ac ar gyfer asesu eu cynnydd mewn gwaith arbrofol ac ymchwiliol.

Cynllunio

2.1 Rhagarweiniad: cynllunio o safbwynt syniadau'r plant

Mae'n bosibl archwilio'r syniadau gwyddonol allweddol a geir yn y canllaw hwn mewn nifer o wahanol gyd-destunau, a gellir ymgorffori llawer o'r gweithgareddau mewn gwaith ar dopig trawsgwricwlaidd. Yn y bennod hon rhoddir un enghraifft o gynllunio topig. Rhoddir rhagor o wybodaeth am gynllunio yn y llawlyfr i gydgysylltwyr gwyddoniaeth.

Dylai athrawon sy'n defnyddio ymdriniaeth SPACE roi sylw i'r canlynol:

◆ yr angen i ddarganfod syniadau'r plant eu hunain, nid yn unig ar ddechrau'r gwaith ond hefyd o bryd i'w gilydd yn ystod y gwaith;
◆ pwysigrwydd cynllunio'r ymchwiliadau gyda'r plant, a defnyddio eu syniadau yn fan cychwyn;
◆ y cysyniadau sy'n cael eu harchwilio;
◆ i ba gyfeiriad y mae syniadau'r plant yn datblygu.

2.2 Topigau trawsgwricwlaidd

Gellir defnyddio mwy nag un topig i gyflwyno'r gweithgareddau sy'n archwilio'r syniadau am *Sain a cherddoriaeth* a geir yn y canllaw hwn. Mae un enghraifft wedi ei chyflwyno ar ffurf taflenni cynllunio (tudalennau 15-16). Mae'n debygol y bydd athrawon yn dymuno addasu'r topigau i fanteisio ar yr adnoddau sydd ar gael yn lleol. Dyma rai awgrymiadau.

Larwm a rhybudd

Gellid ystyried cyd-destun y gwahanol seiniau a ddefnyddir i roi negeseuon brys. Gallai'r plant lunio systemau larwm eu hunain a rhoi prawf ar effeithiol-rwydd y systemau. Mewn trafodaeth gallent feddwl am yr enghreifftiau canlynol:

Clychau beic, hwteri a chyrn;
Gwahanol seiniau ceir yr heddlu, ambiwlans ac injan dân;
Corn niwl neu ganon a ddefnyddir ar y môr neu ar yr arfordir;
Larwm tân – clychau a hwteri. Pa mor effeithiol yw'r rhain? Pa mor dda y gall y plant adnabod pob un a pha mor gyflym y gallant ymateb? Pa mor effeithiol y mae'r sain yn cael ei chynhyrchu a pha mor dda y mae'r sain yn teithio?
Seiniau mewn chwaraeon: chwiban y dyfarnwr, y gwn ar gychwyn ras.

Cerddoriaeth ac offerynnau cerdd

Yr amrywiaeth o offerynnau yn y gerddorfa, eu datblygiad hanesyddol a sut y cânt eu defnyddio mewn gwahanol ddiwylliannau.

Gwahanol draw a gwahanol gryfder sain.

Offerynnau chwyth – rhai pres a rhai corsen; chwythu awtomataidd mewn organ.

Offerynnau llinynnol – plycio'r tannau, defnyddio bwa, strymian.

Taro, curo ac ysgwyd offerynnau taro.

Os oes offerynnau cerdd yn yr ysgol, archwiliwch nodweddion y seiniau y gallant eu cynhyrchu.

Archwiliwch sut yr adeiladir offerynnau cerdd i ddarganfod sut maent yn cynhyrchu seiniau.

Darganfod sut mae tiwnio offerynnau.

Gwneud modelau er mwyn archwilio syniadau'r plant.

Blychau sain.

Creu offerynnau 'cartref', er enghraifft: bwrdd sgwrio, jariau dŵr, drymiau o duniau, crib a phapur.

Rheoli cynhyrchu sain; darganfod defnyddiau a phrosesau adeiladu priodol.

Geirfa 'sŵn', 'seiniau' a 'cherddoriaeth'.

Sut mae recordio ac atgynhyrchu sain.

Cerddoriaeth a sut mae cynhyrchu sain yn fecanyddol.

Sut mae cynhyrchu sain mewn systemau electronig a dyfeisiau 'hen ffasiwn'.

Peiriant chwarae recordiau clocwaith yn defnyddio nodwydd ddur.

Organau baril yn defnyddio aer dan wasgedd a phapur â thyllau arbennig.

Y pinnau a'r sbringiau sy'n rheoli'r symudiad mewn blychau cerdd, clociau sy'n canu ar yr awr a chloc cwcw.

Archwilio seiniau yn yr amgylchedd

Gellir archwilio seiniau yn yr amgylchedd a'u defnyddio yn fan cychwyn ar gyfer llawer o wahanol dopigau, gan gynnwys astudiaeth o'r amgylchedd lleol a geirfa gwahanol seiniau. Mantais fawr yw y gellir cynnal y 'daith wrando' yn unrhyw le, o fewn yr ysgol, ar fuarth yr ysgol, neu yn ystod ymweliad.

Llygredd

Rydym yn aml yn anghofio bod sŵn yn gallu bod yn un agwedd ar lygredd yn yr amgylchedd.

Sut y gellir mesur seiniau?

Sut y gellir ynysu pobl rhag effeithiau sŵn awyrennau, traffig ar y ffyrdd, safleoedd adeiladu, cerddoriaeth pobl eraill?

Datblygu arbrofion ar drosglwyddo a derbyn sain, ac arbrofion ar ynysu.

Trefnu i ymweld â ffatri (gan ddilyn canllawiau'r AALl).

Ystyried sut y caiff pobl eu diogelu rhag sŵn yn y gweithle.

Beth yw'r goblygiadau o ran diogelwch?

Colli clyw

Gellid ymdrin â cholli clyw, neu nam ar y clyw, er bod rhaid gwneud hynny'n sensitif.

Beth yw byddardod a sut y mae mesur clyw?

Sut mae bywyd yn wahanol i bobl fyddar?

A yw hi'n bosibl i blentyn sy'n clywed gael profiad o fyd rhywun byddar?

Beth yw effeithiau nam ar y clyw; sut mae goresgyn yr anfanteision?

Sut y gellir mwyhau sain ar gyfer y rhai sy'n rhannol fyddar?

Sut y mae athrawon yn defnyddio'r syniad o deimlo symudiad yr aer a dirgryniadau i helpu pobl fyddar ddysgu siarad?

Yn hytrach na defnyddio sain, pa ffyrdd eraill o gyfathrebu sydd ar gael?

Cyfathrebu

Mae'r dull o gynhyrchu sain mewn systemau electronig dipyn yn llai amlwg nag mewn mecanweithiau hen ffasiwn. Gellir edrych ar beiriant clocwaith sy'n chwarae recordiau gan ddefnyddio nodwydd ddur fel enghraifft o ddyfais i recordio ac atgynhyrchu sain. Mae organ faril yn defnyddio aer dan wasgedd a phapur tyllog. Pinnau a sbringiau sy'n achosi'r gerddoriaeth mewn blychau cerdd, trawiad cloc a chlociau cwcw. Mae pob un o'r rhain yn ddefnyddiol wrth archwilio thema cerddoriaeth a gwahanol ddulliau o gynhyrchu seiniau.

Topigau eraill

Ymhlith y posibiliadau eraill gellid ystyried sut y mae gwahanol rywogaethau o anifeiliaid wedi addasu i glywed, sut maent yn gwybod o ble y daw'r seiniau; gallai hyn arwain at archwilio datblygiadau technolegol gan gynnwys sut mae canfod pethau gydag atseiniau dan y dŵr.

Dyma rai cysylltiadau â chanllawiau athrawon a llyfrau disgyblion eraill yng nghyfres Gwyddoniaeth Gynradd Nuffield:

Amrywiaeth bywyd – anifeiliaid yn cyfathrebu, siâp clustiau, ffyrdd o gynhyrchu sain;

Prosesau bywyd – sut y mae anifeiliaid yn cynhyrchu a chanfod sain;

Trydan a magnetedd – dyfeisiau i gynhyrchu seiniau ac ar gyfer cyfathrebu.

2.3 Enghreifftiau o gynllunio topig

Mae'r cynlluniau canlynol yn dangos sut y gellir defnyddio'r wyddoniaeth sy'n berthnasol i *Sain a cherddoriaeth* mewn topig trawsgwricwlaidd. Y topig a gyflwynir yw 'Cyfathrebu', ac yn y cynllun cyntaf nodwyd cyfleoedd i archwilio mathemateg, iaith, hanes, daearyddiaeth, technoleg dylunio a chelf. Mae'r ail gynllun yn canolbwyntio ar yr agwedd wyddonol i ddangos meysydd y gellid eu harchwilio o fewn y topig yn gyffredinol. Mae'n bwysig cofio mai enghreifftiau yn unig yw'r rhain, a bod llawer o bosibiliadau eraill.

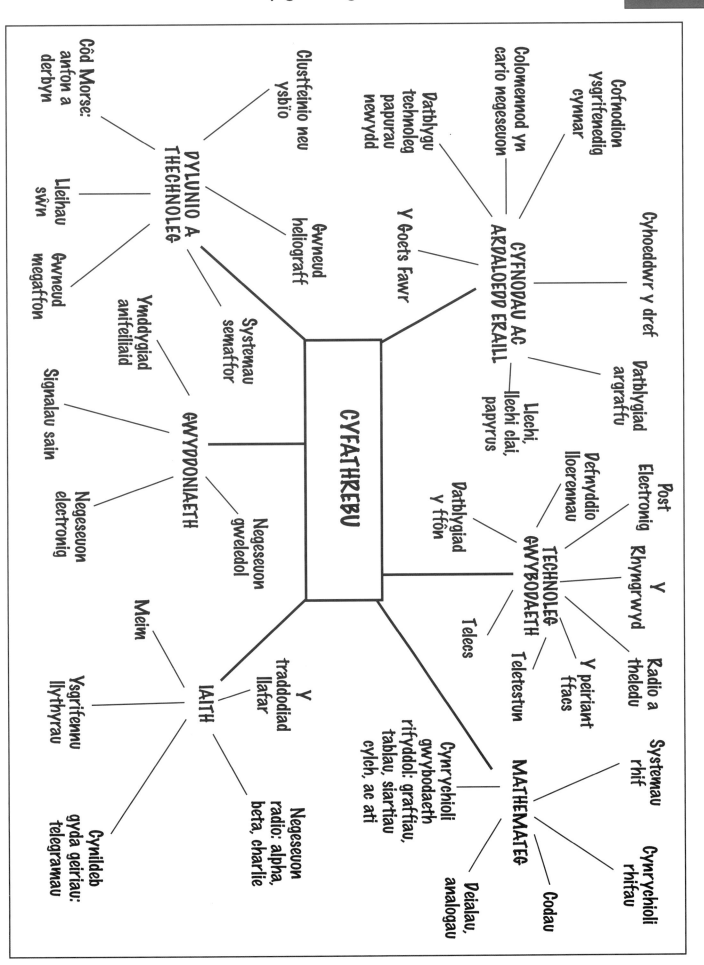

Gwyddoniaeth o fewn topig trawsgwricwlaidd

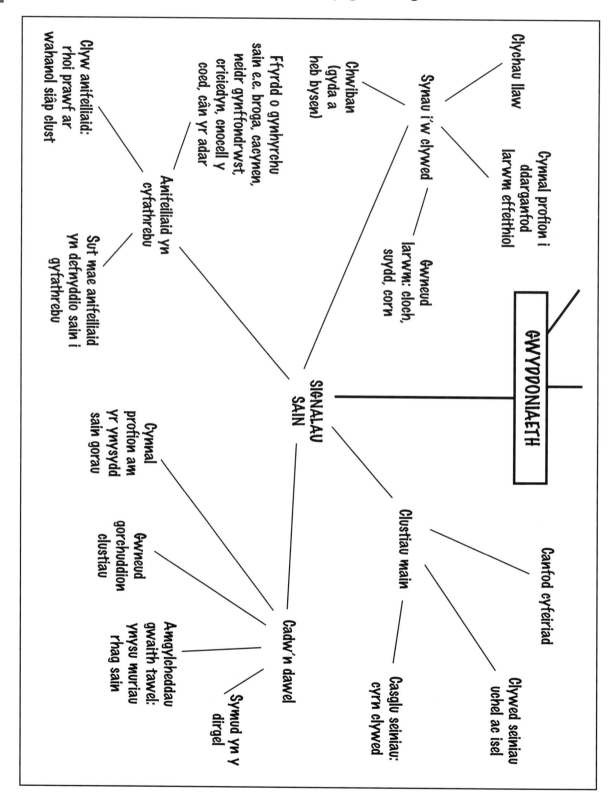

2.4 Defnyddio technoleg gwybodaeth

Nodir cyfleoedd i ddefnyddio technoleg gwybodaeth trwy roi'r symbol hwn ar ymyl y dudalen a chyfeiriadau ato yn y testun. Mae'r enghreifftiau yn cynnwys:

◆ defnyddio prosesu geiriau i baratoi adroddiadau ar ymchwiliadau;
◆ defnyddio meddalwedd i ymdrin â chanlyniadau a chynhyrchu siartiau;
◆ defnyddio recordydd tâp i storio gwybodaeth;
◆ defnyddio offerynnau ag allweddell electronig i gynhyrchu seiniau;
◆ defnyddio cyfrifiaduron i 'gyfansoddi' seiniau cerddorol.

2.5 Llyfrau disgyblion

Enw'r llyfrau i ddisgyblion sy'n mynd gyda'r canllaw hwn yw *Sain a cherddoriaeth* ar gyfer y plant iau a *Rhagor am sain a cherddoriaeth* i'r disgyblion hŷn. Cafodd llyfrau'r disgyblion eu cynllunio i'w defnyddio fesul uned o ddwy dudalen. Nid yw'r unedau mewn trefn arbennig, ac ymdrinnir â hwy yn y nodiadau hyn mewn trefn thematig.

Ymhlith nodweddion llyfrau'r disgyblion y mae:
◆ Unedau symbylus, yn aml yn weledol, â'r bwriad o godi cwestiynau, annog chwilfrydedd, a hybu trafodaeth.

◆ Unedau gwybodaeth, sy'n cyflwyno deunydd ffynhonnell eilaidd mewn ffordd eglur a deniadol.

◆ Syniadau am weithgareddau, i fod yn sail ymchwiliadau i'w cynnal gan y plant.

◆ Unedau trawsgwricwlaidd a storïau sy'n gallu bod yn sail ar gyfer ysgrifennu creadigol, neu unedau â ffocws hanesyddol neu greadigol.

◆ Enghreifftiau o ddefnyddio gwyddoniaeth go iawn mewn bywyd bob-dydd.

Sain a cherddoriaeth

Llawn gwynt tudalennau 2-3

Diben: Cyflwyno'r syniad o draw nodyn.
Nodiadau: Yr offerynnau a ddangosir yw recorder, chwib Swanee, pibau, trombôn a chorn Ffrengig. Gyda thrombôn, gallwch newid hyd y tiwb. Mae gan rai offerynnau dyllau yn y tiwb i newid y sain. Mae gan rai diwb ar siâp coil. Wrth roi eich llaw y tu mewn i gloch, mae'r sain yn pylu.
Gweithgaredd estynedig: Gallai'r plant greu wythfed gan ddefnyddio wyth potel lefrith gyda gwahanol lefelau o ddŵr. Gallent edrych ar offerynnau'r ysgol a thrafod sut y mae pob un yn cynhyrchu seiniau â thraw uchel ac isel.
Croesgyfeirio yn y Canllaw Athrawon: Sain a cherddoriaeth, tudalennau 13, 42, 76.

2

Tawelwch! tudalennau 4-5

Diben: Trafod llygredd sŵn a seiniau diflas.
Nodyn: Eglurwch fod gormod o sŵn – gan gynnwys sŵn o stereos personol –
yn gallu niweidio'r clustiau.
Gweithgareddau estynedig: Gallai'r plant ddarganfod am waith yr adran sy'n
ymdrin â llygredd sŵn i'r awdurdod lleol.
Croesgyfeirio yn y Canllaw Athrawon: Sain a cherddoriaeth, tudalennau 13,
31.

Seiniau comic tudalennau 6-7

Diben: Edrych ar wahanol ffyrdd y mae arlunwyr yn cynrychioli seiniau yn
weledol mewn cylchgronau, ac ysgogi'r plant i roi cynnig arni eu hunain.
Gweithgaredd estynedig: Gofynnwch i'r plant dynnu lluniau yn dangos
seiniau.
Croesgyfeirio yn y Canllaw Athrawon: Sain a cherddoriaeth, tudalen 64.

Sŵn anifeiliaid tudalennau 8-9

Diben: Rhoi gwybodaeth am wahanol synau anifeiliaid a'u rhesymau dros
wneud y sŵn.
Nodiadau: Tyllau bach yw clustiau nadroedd. Gan eu bod yn famolion, mae
ganddynt bilen (neu dympan) y glust, sy'n dirgrynu ac yn ymateb i sain. Mae
clustiau pysgod ar ymyl eu pennau, dan haen o groen tenau.
Croesgyfeirio yn llyfrau'r disgyblion: Pethau byw ar waith, tudalennau 14-15.
Croesgyfeirio yn y Canllaw Athrawon: Sain a cherddoriaeth, tudalennau 13,
43, 60-61.

Canu fel eos tudalennau 10-11

Diben: Annog y plant i feddwl am sŵn adar, ac ychwanegu elfen 'wow' trwy
ddisgrifio gallu rhai adar i ddynwared.
Nodiadau: Yr adar yw (tudalen 10) ehedydd a drudwen (yn y bocs) a (tudalen
11) robin goch a bronfraith fawr.
Gweithgareddau estynedig: Os oes modd, ewch â'r plant i lecyn tawel, lle
gallant glywed yr adar yn canu.
Croesgyfeirio yn y Canllaw Athrawon: Sain a cherddoriaeth, tudalen 13.

Huw a therapi lleferydd tudalennau 12-13

Diben: Cynyddu ymwybyddiaeth a dealltwriaeth fod rhai plant yn cael
anhawster wrth geisio gwneud rhai seiniau.
Nodyn: Mae angen trafod y pwnc hwn yn sensitif.
Gweithgareddau estynedig: Gallai'r plant roi cynnig ar ddweud yr
ymadroddion sy'n llawn cyflythrennu.
Croesgyfeirio yn y Canllaw Athrawon: Sain a cherddoriaeth, tudalen 45.

Barddoniaeth sain tudalennau 14-15

Diben: Ymarfer ysgrifennu.
Gweithgareddau estynedig: Gallai'r plant restru'r holl eiriau 'sain' y gallant
feddwl amdanynt. Rhowch gyd-destun ar gyfer darn o farddoniaeth am sain i'r
plant: yn y nos, y pwll nofio, disgo, y gegin ac ati.
Croesgyfeirio yn y Canllaw Athrawon: Sain a cherddoriaeth, tudalen 43.

Sain yn teithio tudalennau 16-17

Diben: Annog plant i feddwl am wahanol fathau o seiniau a dangos sut y cânt eu cynhyrchu, a sut y mae sain yn teithio.
Gweithgaredd estynedig: Gallai'r plant ysgrifennu'r stori mewn geiriau.
Croesgyfeirio yn y Canllaw Athrawon: Sain a cherddoriaeth, tudalennau 12, 56, 60-62, 76, 78-80.

Posau sain tudalennau 18-19

Diben: Darparu cysylltiadau â Chymraeg/gwaith iaith.
Nodiadau: Yn y gerdd gyntaf, mae Jona y tu mewn i fol y morfil. Mae'r stori wreiddiol yn y Beibl, yn Llyfr Jona. Yn yr ail gerdd, mae merch yn breuddwydio (wedi iddi glywed seiniau yn ei llofft) ei bod yn bryf neu'n gacynen, wedi'i dal mewn gwe pryf copyn.
Gweithgaredd estynedig: Gallai'r plant ysgrifennu eu barddoniaeth eu hunain am seiniau.

Seiniau mewn darluniau tudalennau 20-21

Diben: Gwneud i'r plant feddwl am wahanol fathau o seiniau a meddwl am eiriau i'w disgrifio.
Croesgyfeirio yn y Canllaw Athrawon: Sain a cherddoriaeth, tudalen 64.

Sŵn yn rhybuddio tudalennau 22-23

Diben: Atgoffa'r plant o synau rhybuddio rydym yn eu clywed yn ein bywyd bob-dydd.
Croesgyfeirio yn y Canllaw Athrawon: Sain a cherddoriaeth, tudalennau 12, 58.

Rhagor am sain a cherddoriaeth

Bandiau tudalennau 2-3

Diben: Annog plant i feddwl am wahanol ffyrdd o gynhyrchu cerddoriaeth.
Nodiadau: Cofiwch fod y llais yn offeryn sy'n gallu cynhyrchu cerddoriaeth. Mae'r gerdd yn cysylltu'r uned â'r cwricwlwm Cymraeg.
Gweithgaredd estynedig: Dyfeisio dawnsiau gyda gwahanol rythmau. Edrych ar wahanol offerynnau yn eich ysgol.
Croesgyfeirio yn y Canllaw Athrawon: Sain a cherddoriaeth, tudalennau 13, 40-41, 76.

Gêmau sain tudalennau 4-5

Diben: Gweithgareddau hwyliog i'r plant roi cynnig arnynt.

Sut mae clywed seiniau tudalennau 6-7

Diben: Gweithgaredd dechreuol yn edrych ar wneud a derbyn seiniau, a dangos beth sy'n digwydd wrth i sain gyrraedd rhan fewnol y glust.
Croesgyfeirio yn y Canllaw Athrawon: Sain a cherddoriaeth, tudalennau 13, 31, 35-36, 43.

Trwm ei glyw tudalennau 8-9

Diben: Gwneud y plant yn fwy ymwybodol o bobl ag anawsterau clywed.
Gweithgaredd estynedig: Dechrau trafodaeth gyffredinol am fanteision ac anfanteision gallu clywed yn iawn.
Croesgyfeirio yn y Canllaw Athrawon: Sain a cherddoriaeth, tudalennau 13-14, 45.

Geiriau sain tudalennau 10-11

Diben: Cyflwyno dywediadau cyffredin sy'n cyfeirio at sain.
Croesgyfeirio yn y Canllaw Athrawon: Sain a cherddoriaeth, tudalen 43.

Ysgrifennu sgript sain tudalennau 14-15

Diben: Rhoi syniadau ar gyfer gwneud effeithiau sain mewn drama.
Nodiadau: Ar gyfer sŵn y noson stormus, gallent daro bocs cardbord i wneud y taranau a chwythu dros wahanol fathau o gynwysyddion i wneud sŵn gwynt.
Gweithgaredd estynedig: Defnyddio effeithiau sain mewn drama yn yr ysgol.
Croesgyfeirio yn y Canllaw Athrawon: Sain a cherddoriaeth, tudalennau 13, 42

Tannau tynn tudalennau 16-17

Diben: Rhoi gwybodaeth am offerynnau llinynnol, a chyflwyno offerynnau o wahanol ddiwylliannau.
Nodiadau: Dyma'r offerynnau: sitar (de uchaf) o India; tabla (drymiau, chwith uchaf) o Bangladesh, India a Pakistan; ffidl un llinyn (chwith isaf), o'r Dwyrain Canol; dwsmel/simbala o ddwyrain Ewrop. I diwnio offeryn llinynnol, rydych yn troi peg. Mae tabla yn cael ei diwnio trwy rwbio'r lledr i'w gynhesu, a throi'r cyrc ar y tu allan.
Gweithgaredd estynedig: Defnyddiwch gitâr yr ysgol i ddangos sut i diwnio. Gallwch ddangos sut y mae traw y sain yn mynd yn uwch neu'n is.
Croesgyfeirio yn y Canllaw Athrawon: Sain a cherddoriaeth, tudalen 13.

Dweud seiniau tudalennau 18-19

Diben: Uned gyfeiriol.
Nodyn: Gallai'r plant weithio mewn parau, gan ddarllen y nodiadau a gwneud y gweithgareddau.
Croesgyfeirio yn y Canllaw Athrawon: Sain a cherddoriaeth, tudalen 45.

Sain mecanyddol tudalennau 20-21

Diben: Rhoi gwybodaeth am ddyfeisiwr.
Gweithgareddau estynedig: Ewch â'r dosbarth i amgueddfa i edrych ar hen systemau sain (gweler yr uned nesaf). Os oes modd, dewch â blwch cerddoriaeth i'w ddangos i'r plant.
Croesgyfeirio yn llyfrau'r disgyblion: Trydan a magnetedd, tudalennau 14-15.
Croesgyfeirio yn y Canllaw Athrawon: Sain a cherddoriaeth, tudalennau 13-14.

Systemau sain tudalennau 22-23

Diben: Uned hanesyddol a chyd-destun a ddylai fod at ddant y plant.
Croesgyfeirio yn y Canllaw Athrawon: Sain a cherddoriaeth, tudalennau 13-14.

Atsain atsain tudalennau 12-13

Diben: Deunydd i'r plant ei ddarllen a'i drafod.

Nodiadau: Rhybuddiwch y plant i beidio â cherdded i lawr stryd ar eu pen eu hunain yn hwyr y nos.

Cwestiynau i'w trafod: Pam y mae'r plentyn yn debygol o glywed atseiniau? (Mae adeiladau uchel a strydoedd culion yn ddelfrydol i glywed atseiniau gan nad oes coed a dail ac ati i bylu'r seiniau.) Byddai'r plentyn yn ymwybodol iawn o bob sŵn oherwydd ei fod yn bryderus.

Gweithgareddau estynedig: Gofynnwch i'r plant restru'r ffyrdd rydym yn defnyddio atseiniau yn ein bywydau (defnyddiwch yr uned fel man cychwyn).

Croesgyfeirio yn y Canllaw Athrawon: Sain a cherddoriaeth, tudalennau 51-52, 56-57, 60-61.

2.6 Cynllunio eich rhaglen wyddoniaeth yn yr ysgol

Mae'r tudalennau canlynol yn rhoi enghreifftiau o sut yr aeth dwy ysgol ati i gynllunio eu rhaglen wyddoniaeth ar gyfer Cyfnod Allweddol 2 i gyd. Mae cynllunio o'r fath yn gymorth i roi parhad a chynnydd i addysg wyddoniaeth y plant. Trafodir datblygu rhaglenni o'r fath i ysgolion cyfan yn llawnach yn y llawlyfr i gydgysylltwyr gwyddoniaeth.

Mae pob cynllun yn bodloni gofynion y Cwricwlwm Cenedlaethol yng Nghyfnod Allweddol 2 ac yn dangos pa themâu yn llyfrau Canllaw Athrawon Gwyddoniaeth Gynradd Nuffield a ddefnyddiwyd gan yr athrawon dosbarth i gynllunio'r pwnc yn fanwl.

Enghraifft 1 (tudalen 23)

Mae'r ysgol gynradd hon mewn ardal lled wledig a chanddi gyfanswm o 170 o blant. Nid oes grwpiau oed cymysg yn yr ysgol. Mae peth gorgyffwrdd yn y cynllun er mwyn i ddisgyblion gael cyfleoedd i aildrafod cysyniadau ac adeiladu ar brofiadau blaenorol.

Yn gyffredinol, cafodd y cwricwlwm ei gynllunio o amgylch topigau sy'n tarddu o hanes yn nhymor yr Hydref, gwyddoniaeth yn nhymor y Gwanwyn a daearyddiaeth yn nhymor yr Haf. Felly, manteisir ar bob cyfle i ddatblygu cysylltiadau trawsgwricwlaidd, ond os yw hynny'n anaddas mae topigau bach pwnc-benodol yn cael eu cynllunio. Dim ond y rhannau gwyddonol a ddysgir bob tymor sy'n cael eu dangos gyferbyn.

Enghraifft 2 (tudalen 24)

Mae'r ysgol drefol hon wedi adolygu ei rhaglen wyddoniaeth yn ddiweddar er mwyn annog cynnydd yn y cysyniadau a gyflwynir ac osgoi ailadrodd yr un gweithgareddau. Roedd yr athrawon yn awyddus i gael arweiniad ond roedd arnynt hefyd eisiau hyblygrwydd, er mwyn iddynt gael datblygu'r topigau mewn ffordd a oedd yn briodol i'r plant yn eu dosbarth.

Teimlwyd hefyd y dylid ymdrin â rhai cysyniadau nad ydynt o anghenraid yn cael eu cynnwys yn y Cwricwlwm Cenedlaethol, e.e. Tymhorau. Felly, cynhwysir topigau addas yn y rhaglen.

Mae tymor yr Haf ym Mlwyddyn 6 yn wag i roi amser ar gyfer TASau ac i athrawon gael datblygu diddordebau'r plant ymhellach.

Enghraifft 1

	TYMOR YR HYDREF	TYMOR Y GWANWYN	TYMOR YR HAF
BLWYDDYN 3	Y Ddaear a thu hwnt/Magnetedd	Fi fy hun	Gwasanaeth i'n cartrefi
Canllaw Athrawon Gwyddoniaeth Gynradd Nuffield	Y Ddaear yn y gofod 3.1, 3.2, 3.3 Trydan a magnetedd 3.4	Prosesau bywyd 3.1, 3.2, 3.3 Amrywiaeth bywyd 3.2 Goleuni 3.1	Trydan a magnetedd 3.1, 3.2, 3.3 Defnyddiau 3.1 Defnyddio egni 3.2
Rhaglen Astudio †	Gw4:4a, b, c, d; Gw4:2a	Gw2:1a; 2a, b, e, f; Gw4:3a, d	Gw3:1a, b, c; Gw4:1a, b, c
BLWYDDYN 4	Sain a cherddoriaeth/ Mecanweithiau	Cynefinoedd	Adeiladu amgylchedd
Canllaw Athrawon Gwyddoniaeth Gynradd Nuffield	Sain a cherddoriaeth 3.1, 3.2 Defnyddio egni 3.3	Amrywiaeth bywyd 3.1 Prosesau bywyd 3.4 Pethau byw yn eu hamgylchedd 3.1, 3.2	Defnyddiau 3.2, 3.3 Defnyddio egni 3.1
Rhaglen Astudio †	Gw4:3e, f, g; Gw4:2d, e	Gw2:1b; 3a, b, c, d; 4a; Gw3:1d	Gw3:1e; 2a, b, c, d
BLWYDDYN 5	Trydan/Cychwyn a stopio	Strwythurau	Y Ddaear a'r atmosffer/Goleuni
Canllaw Athrawon Gwyddoniaeth Gynradd Nuffield	Trydan a magnetedd 3.2, 3.3 Grymoedd a mudiant 3.1, 3.2	Defnyddiau 3.1, 3.2, 3.3 Creigiau, pridd a thywydd 3.1 Amrywiaeth bywyd 3.3	Creigiau, pridd a thywydd 3.2 Y Ddaear yn y gofod 3.1, 3.2, 3.3, 3.4 Goleuni 3.2, 3.3
Rhaglen Astudio †	Gw4:1a, b, c, d; Gw4:2b, c	Gw3:1b, d; 2f; 3a, b, c, d, e	Gw3:2e; Gw4:4a, b, c, d; Gw4:3a, b, c
BLWYDDYN 6	Y corff dynol/Cadw'n iach	Grymoedd	Ein hamgylchedd
Canllaw Athrawon Gwyddoniaeth Gynradd Nuffield	Prosesau bywyd 3.2, 3.3 Amrywiaeth bywyd 3.2	Grymoedd a mudiant 3.1, 3.2, 3.3, 3.4 Trydan a magnetedd 3.4 Defnyddio egni 3.3	Pethau byw yn eu hamgylchedd 3.2, 3.3, 3.4
Rhaglen Astudio †	Gw2:2c, d, g, h	Gw4:2a, b, c, d, e, f, g, h	Gw2:5a, b, c, d, e

† Ar gyfer y siartiau hyn, cafodd y cyfeiriadau at adrannau o'r
Rhaglen Astudio eu talfyrru fel a ganlyn:
Gw2 = Prosesau Bywyd a Phethau Byw
Gw3 = Defnyddiau a'u Priodweddau
Gw4 = Prosesau Ffisegol

Enghraifft 2

	TYMOR YR HYDREF		TYMOR Y GWANWYN		TYMOR YR HAF	
BLWYDDYN 3	Y Ddaear ac amser	Adlewyrchu a chysgodion	Beth sydd dan ein traed?	Pethau'n symud	Amrywiaeth bywyd	Cynefinoedd
Canllaw Athrawon Gwyddoniaeth Gynradd Nuffield	Y Ddaear yn y gofod 3.1, 3.2	Goleuni 3.2	Creigiau, pridd a thywydd 3.1 Pethau byw yn eu hamgylchedd 3.3	Grymoedd a mudiant 3.1	Amrywiaeth bywyd 3.1	Pethau byw yn eu hamgylchedd 3.1
Rhaglen Astudio †	Gw4:4a, b, c, d	Gw4:3a, b, c	Gw2:5e; Gw3:1d	Gw4:2a, b, c, d, e	Gw2:1a, b; 4a	Gw2:5a, b
BLWYDDYN 4	Grymoedd ffrithiannol	Poeth ac oer	Defnyddiau a'u priodweddau	Seiniau	Tyfu	Trydan
Canllaw Athrawon Gwyddoniaeth Gynradd Nuffield	Grymoedd a mudiant 3.2	Defnyddio egni 3.1	Defnyddiau 3.1	Sain a cherddoriaeth 3.1	Prosesau bywyd 3.1, 3.4	Trydan a magnetedd 3.1, 3.2, 3.3
Rhaglen Astudio †	Gw4:2b, c, f, g, h	Gw3:2b, c	Gw3:1a, b, e	Gw4:3e, f	Gw2:3a, b, c, d	Gw3:1c; Gw4:1a, b, c
BLWYDDYN 5	Y Ddaear a Chysawd yr Haul	Tywydd a'i effeithiau	Perthnasoedd bwydo	Amrywiad unigolion	Ffynonellau goleuni	Sain yn teithio
Canllaw Athrawon Gwyddoniaeth Gynradd Nuffield	Y Ddaear yn y gofod 3.1, 3.2, 3.3	Creigiau, pridd a thywydd 3.1, 3.2	Pethau byw yn eu hamgylchedd 3.2, 3.3	Amrywiaeth bywyd 3.2	Goleuni 3.1	Sain a cherddoriaeth 3.2
Rhaglen Astudio †	Gw4:4c, d	Gw3:1d; 2e	Gw2:5c, d, e	Gw2:4a; 5a	Gw4:3a, b, c, d	Gw4:3e, f, g
BLWYDDYN 6	Grymoedd a mudiant	Prosesau bywyd	Trydan	Defnyddiau		
Canllaw Athrawon Gwyddoniaeth Gynradd Nuffield	Grymoedd a mudiant 3.3, 3.4	Prosesau bywyd 3.2, 3.3	Trydan a magnetedd 3.1, 3.2, 3.3	Defnyddiau 3.2, 3.3		
Rhaglen Astudio †	Gw4:2d, e, f, g, h	Gw2:2a, b, c, d, e, f, g, h	Gw4:1c, d	Gw3:2a, b, d, f; 3a, b, c, d, e		

2.7 Adnoddau

Dylid manteisio i'r eithaf ar safle'r ysgol, ardaloedd lleol eraill sy'n ddiogel, a lleoedd priodol i ymweld â hwy, os gellir trefnu hynny, gan ddilyn canllawiau'r AALl.

Gellir cynnal gweithgareddau ychwanegol:

◆ ar dir yr ysgol, er enghraifft, pa mor bell y mae sain yn teithio;
◆ ar ymweliadau, er enghraifft, â phyllau nofio, amgueddfeydd, gorsafoedd radio;
◆ yn yr amgylchedd lleol, er enghraifft stryd neu barc i gynnal arolwg sŵn.

Bydd union natur yr adnoddau angenrheidiol yn dibynnu ar syniadau'r plant a'r dulliau a ddyfeisiant i roi prawf ar y syniadau hynny. Mae'r rhestr ganlynol yn rhoi syniad cyffredinol o'r adnoddau sy'n angenrheidiol i gynnal yr ymchwiliadau a ddangosir yn y canllaw hwn.

Peiriannau recordio
Microffonau
(neu gyfuniad o'r ddau)
Offerynnau cerdd
Syntheseisydd
Stopwats neu stopgloc
Clociau neu watsys sy'n tician
Plygiau clust
Bandiau rwber
Llinyn
Potiau dal iogwrt

Caniau
Poteli, plastig a gwydr
Twndis
Gwifren (gwahanol drwch)
Tant gitâr
Gwahanol fasau (pwysynnau)
Gwlân cotwm
Defnyddiau i wneud mwgwd
Darnau o gotwm, ffwr, gwlân, neilon, ffelt, gwlân cotwm

2.8 Rhybuddion

Tynnir sylw at weithgareddau sy'n galw am ofal arbennig trwy gyfrwng y symbol hwn ar ymyl y dudalen. Dylid gwneud popeth o fewn eich gallu i sicrhau diogelwch y plant yn ystod eu hymchwiliadau. Dylech ddarllen unrhyw ganllawiau a ddarperir gan eich Awdurdod Addysg Lleol eich hun ac, os yw eich ysgol neu AALl yn aelod, gan CLEAPSS. Gweler hefyd y cyhoeddiad gan y Gymdeithas dros Addysg Wyddonol (ASE) *Be safe! some aspects of safety in school science and technology for Key Stages 1 and 2* (ail argraffiad, 1990). Mae ynddo gyngor mwy manwl nag y gellir ei gynnwys yma.

Mae angen rhoi sylw arbennig i'r pwyntiau isod.

Rhaid i'r plant beidio â rhoi pethau miniog na phethau bychan yn eu clustiau, rhag iddynt niweidio pilen y glust a chael haint.

Rhaid bod yn ofalus iawn wrth ddefnyddio plygiau clust.

Ni ddylid gwneud sŵn cryf yn agos at glust neb gan y gallai hynny niweidio eu clyw.

Wrth gynnal profion i gymharu clyw gwahanol blant, byddwch yn ddoeth a sensitif, gan gofio bod gan rai plant nam ar eu clyw.

Archwilio sain a cherddoriaeth

Trefnydd themâu
SAIN A CHERDDORIAETH

GWNEUD A DERBYN SEINIAU

3.1

Mae sain yn gallu bod yn uchel neu'n isel, yn gryf neu'n dawel.

*Osgled y dirgryniadau – hynny yw, eu maint – sy'n rheoli pa mor gryf yw'r sain.

Mae offer sensitif, gan gynnwys y glust ddynol, yn gallu canfod seiniau.

*Amledd – hynny yw, cyfradd – y dirgryniadau sy'n rheoli traw y sain, sef pa mor uchel neu isel ydyw.

Dirgryniadau mewn defnydd sy'n achosi sain.

SEINIAU YN TEITHIO

3.2

Mae sain yn ymledu i bob cyfeiriad.

Mae seiniau'n teithio trwy solidau, hylifau a nwyon.

Mae seiniau'n teithio, gan gymryd amser mesuradwy i wneud hynny.

Gellir adlewyrchu sain oddi ar arwynebau, a thrwy hynny gynhyrchu atseiniau.

*Mae sain yn teithio ar ffurf tonnau, sef dirgryniadau yn y sylwedd y mae'r sain yn teithio trwyddo.

(*Mae seren yn nodi syniadau a ddatblygir yn llawnach mewn cyfnodau allweddol diweddarach.)

3.1 | Gwneud a derbyn seiniau

MEYSYDD YMCHWIL

◆ Archwilio gwahanol offerynnau cerdd,
  gan gynnwys offerynnau 'cartref'.
◆ Ymchwilio i ffyrdd o newid traw seiniau.
◆ Ymchwilio i ffyrdd o newid cryfder
  (seinfanedd) seiniau.
◆ Y gwahanol seiniau a glywir yn yr
  amgylchedd.
◆ Ffyrdd o dderbyn sain yn well a chlywed
  sain yn well.
◆ Ffyrdd o leihau cryfder y seiniau a glywir.

SYNIADAU ALLWEDDOL

◆ Mae sain yn gallu bod yn uchel neu'n isel,
  yn gryf neu'n dawel.
◆ Mae offer sensitif, gan gynnwys y glust
  ddynol, yn gallu canfod seiniau.
◆ Dirgryniadau mewn defnydd sy'n achosi
  sain.
◆ *Osgled y dirgryniadau – hynny yw, eu
  maint – sy'n rheoli pa mor gryf yw'r sain.
◆ *Amledd – hynny yw, cyfradd – y
  dirgryniadau sy'n rheoli traw y sain, sef
  pa mor uchel neu isel ydyw.

(*Mae seren yn nodi syniadau a ddatblygir yn llawnach
mewn cyfnodau allweddol diweddarach.)

GOLWG AR
wneud a derbyn seiniau

Mae seiniau'n cael eu gwneud wrth i bethau symud. Dirgryniad yw'r enw ar y math o symudiad sy'n digwydd, sef symudiad cyflym, cyson yn ôl a blaen. Gellir gweld dirgryniadau wrth blycio band elastig tynn, ond yn aml nid yw'n bosibl eu gweld. Er enghraifft, wrth i chi chwythu ar draws ceg potel, mae sain yn cael ei chynhyrchu gan fod yr aer y tu mewn i'r botel yn dirgrynu, ond ni ellir gweld hynny'n digwydd.

Gellir sylwi ar wahaniaethau rhwng un sain ac un arall, er enghraifft gwahaniaeth mewn cryfder a thraw. Mae rhai seiniau yn gryf ac eraill yn dawel; mae rhai seiniau yn uchel ac eraill yn isel.

Gellir newid traw sain trwy newid, er enghraifft, hyd, tensiwn neu drwch y defnydd sy'n dirgrynu. Gellir gwneud seiniau yn gryfach trwy gynyddu maint y dirgryniadau, er enghraifft trwy daro gwrthrych yn galetach.

Mae soniaredd seiniau yn amrywio hefyd. Soniaredd y sain yw'r ansawdd arbennig sy'n perthyn i'r sain, ac sy'n ein helpu wrth i ni geisio adnabod beth sy'n cynhyrchu'r sain.

Mae rhai seiniau yn gerddorol. Dim ond sŵn yw rhai seiniau, yn enwedig seiniau sy'n gryf neu'n annymunol. Mae syniadau pobl am yr hyn sy'n gerddorol a'r hyn sy'n sŵn yn amrywio'n fawr.

Mae seiniau cryf iawn yn gallu niweidio'r clustiau. Mae clustiau, fel microffonau, yn derbyn sain. Mae pob derbynnydd sain yn cynnwys rhywbeth o'r enw diaffram sy'n sensitif i'r dirgryniadau sy'n ei daro. Dim ond seiniau o fewn ystod arbennig o ran amledd y mae derbynyddion sain y gallu eu canfod.

Wrth i don sain gyrraedd y glust, mae'n gwneud i bilen y glust (sef diaffram) ddirgrynu. Mae'r dirgryniad yn cael ei drosglwyddo trwy wahanol rannau'r glust a'i droi'n ysgogiad trydanol sy'n teithio i'r ymennydd.

Gellir defnyddio gwahanol ddyfeisiau i chwyddhau'r sain (er enghraifft trwmped clust, cymorth clyw) neu i leihau cryfder (seinfanedd) cryfder y sain (er enghraifft plygiau i'w rhoi yn y clustiau).

Canfod syniadau'r plant: gweithgareddau dechreuol

Mae'r rhan fwyaf o blant yn gyfarwydd ag amrywiaeth eang o seiniau, ond nid ydynt bob tro yn ymwybodol o beth sy'n achosi'r seiniau neu beth sy'n digwydd pan glywir y seiniau. Bydd y gweithgareddau canlynol o gymorth i ddarganfod syniadau'r plant am sut mae seiniau'n cael eu gwneud a'u clywed.

1 Gwneud seiniau

a Taro drwm

Gadewch i'r plant chwarae gyda drwm a chael profiad o'r gwahanol seiniau a ddaw o'r drwm.

C *Sut mae'r drwm yn gwneud sain?*
Beth sy'n digwydd i'r drwm, tybed?
Ydi hi'n bwysig lle'r ydych yn taro'r drwm?
Allwch chi wneud sain gyda'r drwm mewn ffordd wahanol?

Anogwch nhw i gofnodi eu syniadau trwy dynnu lluniau ac ychwanegu geiriau i'w hegluro.

b Estyn a thynnu band elastig

Gall y plant wneud y gweithgaredd hwn ar eu pen eu hunain neu mewn grwpiau. Rhowch fand elastig o amgylch bocs neu dun. Gadewch i'r plant archwilio'r gwahanol seiniau y gallant eu gwneud, a theimlo'r band elastig yn ogystal ag edrych arno a gwrando.

Gwnewch yn siŵr nad yw'r plant yn niweidio'i gilydd wrth chwarae gyda bandiau rwber

C *Sut mae'r band elastig yn gwneud sain?*
Beth sy'n rhaid i chi ei wneud i gael sain o'r band elastig?
Allwch chi ddweud fod y band elastig yn gwneud sain hyd yn oed os na allwch ei chlywed?
Sut gallwch chi newid sain y band elastig?

2 Clywed seiniau

a Gwrando ar seiniau o'ch cwmpas

Dyma weithgareddau i wneud y plant yn fwy ymwybodol o'r seiniau o'u cwmpas a gwella eu medrau gwrando:

TC 1 *Arsylwi*

◆ eistedd 'mewn tawelwch' yn y dosbarth;
◆ mynd ar daith wrando;
◆ gwrando ar seiniau wedi'u recordio ymlaen llaw.

Gallai'r plant drafod y seiniau a glywent yn y sefyllfaoedd a ddangosir yn *Sain a cherddoriaeth*.

IId *Cyffredinol*

Gofynnwch i'r plant wrando'n astud, ac yna nodi a disgrifio'r seiniau a glywant.

C *Pa seiniau allwch chi eu clywed?*
Sut gallwch chi ddweud beth rydych yn ei glywed?
Beth sy'n effeithio ar ba mor dda y gallwch glywed sain?
Pam mae rhai seiniau i'w clywed yn haws nag eraill?
Sut rydych chi'n gallu clywed y seiniau hyn?

Gellid cyflwyno ymatebion y plant i'r cwestiwn olaf ar ffurf lluniau gydag ysgrifen athro/athrawes i'w hegluro.

b Defnyddio trwmped clust

Mae trwmped clust yn gweithredu fel estyniad i'r glust allanol ac yn cael effaith fawr ar y seiniau a glywir. Defnyddiwch drwmped clust syml ar siâp twndis, a gofynnwch i'r plant sut y mae'n effeithio ar eu clyw. Bydd hyn hefyd yn rhoi gwell syniad i chi o'u dealltwriaeth o beth yw sain.

Gofalwch nad yw'r plant yn torri eu bysedd. Rhybuddiwch nhw hefyd i beidio â rhoi pethau yn eu clustiau – rhag niweidio pilen y glust

Gwnewch drwmped clust syml trwy dorri potel blastig fawr yn ei hanner. Gall y plant wrando ar wahanol seiniau gyda'u trwmped clust a hebddo. Cyn dechrau'r gweithgaredd holwch y plant:

A fydd y dosbarth yn swnio'n wahanol trwy'r trwmped clust? Pam?

Wedi iddynt ddefnyddio'r trwmped clust, holwch:

Sut mae'r twndis yn gwneud i chi glywed seiniau'n wahanol?
Sut rydych chi'n gallu clywed y seiniau hyn?
Pam mae'r trwmped clust yn gwneud i chi glywed yn well, neu'n waeth?
Beth mae'r trwmped clust yn ei wneud i'r sain?

Syniadau'r plant

Mae'n bwysig eich bod yn darganfod syniadau'r plant. Efallai y gwelwch eu bod yn cynnig rhai o'r syniadau a welir yma, neu efallai y bydd ganddynt syniadau eraill.

Syniadau am wneud seiniau

Mae llawer o blant yn cysylltu'r syniad o gynhyrchu sain â gweithred.

Efallai y bydd plant eraill yn canolbwyntio ar nodweddion y ffynhonnell sain.

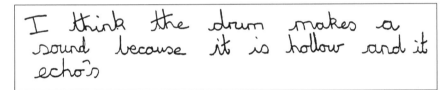

Mae'r geiriau isod yn dangos y gall rhai plant wneud datganiadau cyffredinol trwy dynnu ar eu profiad.

33

Mae'n bosibl y bydd plant yn sylwi ar ddirgryniadau a seiniau'n digwydd yr un pryd, ond heb weld cysylltiad rhyngddynt.

Mae'r tair enghraifft isod yn dangos plant yn gweld rhyw gysylltiad rhwng sain a dirgryniad, ond mae eu syniadau am natur y cysylltiad hwnnw yn amrywio.

Mae rhai plant, fel yn yr enghraifft gyntaf, yn awgrymu mai sain sy'n achosi'r dirgryniad.

Mae eraill yn awgrymu mai dirgryniadau sy'n achosi'r sain, fel yn yr ail enghraifft.

1. The drum vibrates from the top and comes out of the bottom

2. When you bang the drum the sound goes to the bottom hits the ground and comes out of the top.

3. It vibrates from the top.

The strings underneath make the sound. — they vibrate

When you hit the top of the drum the noise goes through the drum and makes strings vibrate
There is nothing in the drum

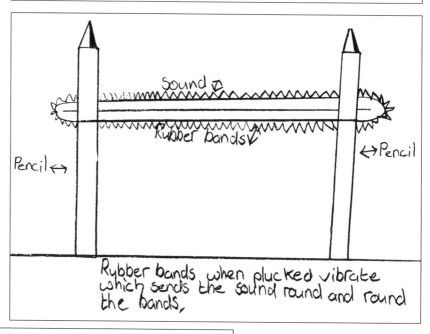

Pencil ↔   Sound ↓   ↔ Pencil
Rubber bands ↓

Rubber bands when plucked vibrate which sends the sound round and round the bands,

vibration = The sound waves that carry through the air to the ear.
SOUND MAKER THE SOUND   VIBRATIONS.   EAR

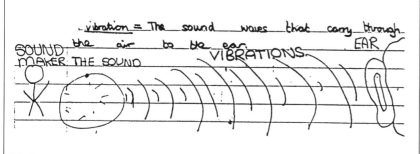

Mae'r enghraifft olaf hon yn dangos bod y plentyn wedi cysylltu sain â dirgryniad. Felly mae'n ddatblygiad ar yr enghreifftiau blaenorol sy'n awgrymu bod sain a dirgryniad yn ffenomena ar wahân.

Syniadau am glywed seiniau

Mae syniadau'r plant am dderbyn a chlywed seiniau, yn ddigon naturiol, yn seiliedig ar eu gallu eu hunain i glywed. Mae'r enghreifftiau canlynol yn dangos gwahanol ddyfnder eu hymatebion.

Mae rhai plant yn dweud eu bod yn clywed pethau oherwydd eu bod yn gwrando neu'n edrych.

I think they the sound by listening hard and I think it could be because the drums sound is very loud.

Dyma ymateb llawer o blant iau, ac mae'n bosibl eu bod yn dehongli 'clywed' i olygu 'cymryd sylw o'. Mae pawb yn gyfarwydd â siarad â phlant heb gael ein 'clywed' yn yr ystyr hwn!

Efallai y bydd plentyn yn deall swyddogaeth y glust yn gyffredinol, fel yn y darn hwn; ond nid yw'n cyfeirio at swyddogaeth y glust allanol.

When you bang the drum the sound goes in your ear

Yn yr enghraifft hon mae'r plentyn yn sylweddoli pa mor bwysig yw'r glust. Mae hefyd yn nodi'n amlwg fod y trwmped clust yn cyfeirio tonnau sain i mewn i'r glust.

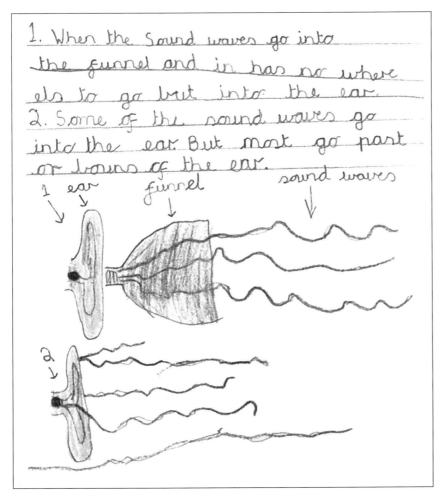

1. When the sound waves go into the funnel and in has no where els to go but into the ear.
2. Some of the sound waves go into the ear But most go past or bouns of the ear.

ear   funnel   sound waves

Mae plant yn dangos eu bod yn ymwybodol o'r glust fewnol, ond maent yn tueddu i gyfeirio ati yn nhermau pilen y glust, fel yn y darn isod.

> When the sound gets to your ear, it makes our ear drums vibarate and then we can hear the sound.

Mae rhai plant yn sylweddoli bod gan yr ymennydd ran yn y broses o glywed, fel a ddangosir isod. Serch hynny, yn yr achos hwn, mae'r plentyn o'r farn fod yr ymennydd yn derbyn 'sain' yn hytrach na phrosesu signalau trydanol a'u troi'n bethau sy'n cael eu hadnabod fel gwahanol seiniau.

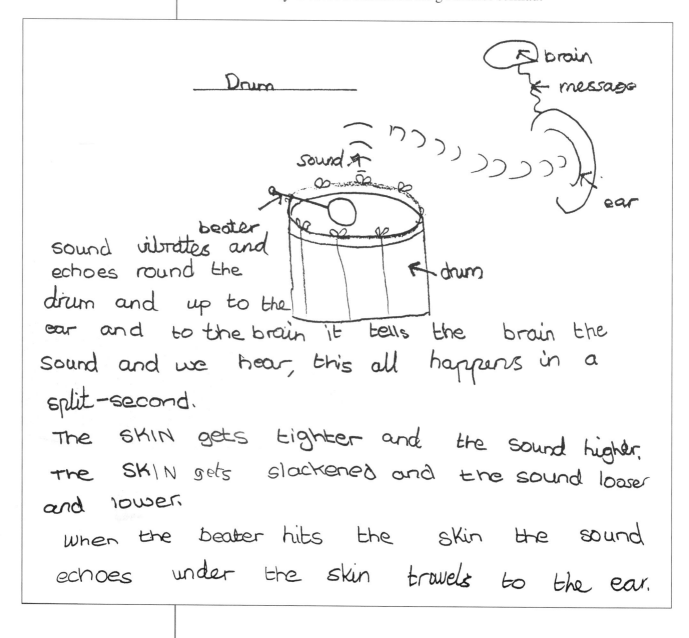

Drum

brain
message
sound
ear
beater
drum

sound vibrates and echoes round the drum and up to the ear and to the brain it tells the brain the sound and we hear, this all happens in a split-second.

The SKIN gets tighter and the sound higher. The SKIN gets slackened and the sound looser and lower.

When the beater hits the skin the sound echoes under the skin travels to the ear.

Helpu plant ddatblygu eu syniadau

Mae'r siartiau nesaf yn dangos sut y gallwch helpu plant ddatblygu eu syniadau. Maent yn edrych ar wahanol ymatebion i'r cwestiynau a sut y gallant arwain at wahanol syniadau.

Mae'r petryalau yn y canol yn cynnwys cwestiynau dechreuol.

Mae'r 'swigod meddyliau' o'u hamgylch yn cynnwys y math o syniadau a fynegir gan blant.

Mae'r cylch pellach o betryalau yn cynnwys cwestiynau a ofynnir gan athrawon mewn ymateb i'r syniadau a fynegir gan y plant. Diben y cwestiynau hyn yw sbarduno'r plant i feddwl am eu syniadau.

Mae'r blychau allanol â chorneli crwn yn dangos ffyrdd y gallai'r plant ymateb i gwestiynau'r athrawon.

1 Gwneud seiniau

a Cymharu gwahanol offerynnau

Mae plant yn mwynhau darganfod gwahanol ffyrdd o gynhyrchu seiniau. Gellid eu hannog i wneud gwahanol offerynnau, er enghraifft rhai sy'n cynhyrchu seiniau trwy dynnu/plycio, taro, ysgwyd a chwythu.

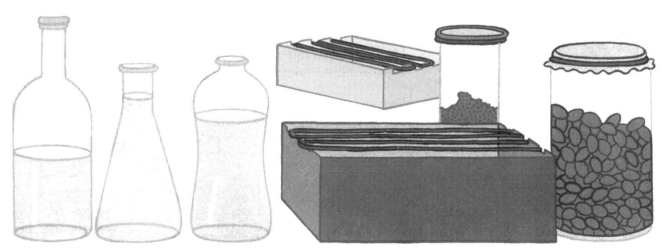

C *Sut mae eich offeryn yn gwneud sain?*
Allwch chi wneud sain uchel/isel gyda'ch offeryn?
Allwch chi wneud sain cryf/tawel gyda'ch offeryn?

Gofynnwch i'r plant ragfynegi'r math o sain y bydd offeryn arbennig yn ei wneud. Wedi i'r plant archwilio'r gwahanol seiniau y gallant eu cynhyrchu, gofynnwch iddynt ddidoli eu hofferynnau yn setiau o synau cryf/synau tawel, offerynnau plycio/ysgwyd.

Gellir gwneud seiniau mewn gwahanol ffyrdd. Gellir gwneud seiniau yn uwch neu'n is. Gellir gwneud seiniau yn gryfach neu'n dawelach

Helpu plant ddatblygu eu syniadau am wneud a derbyn seiniau

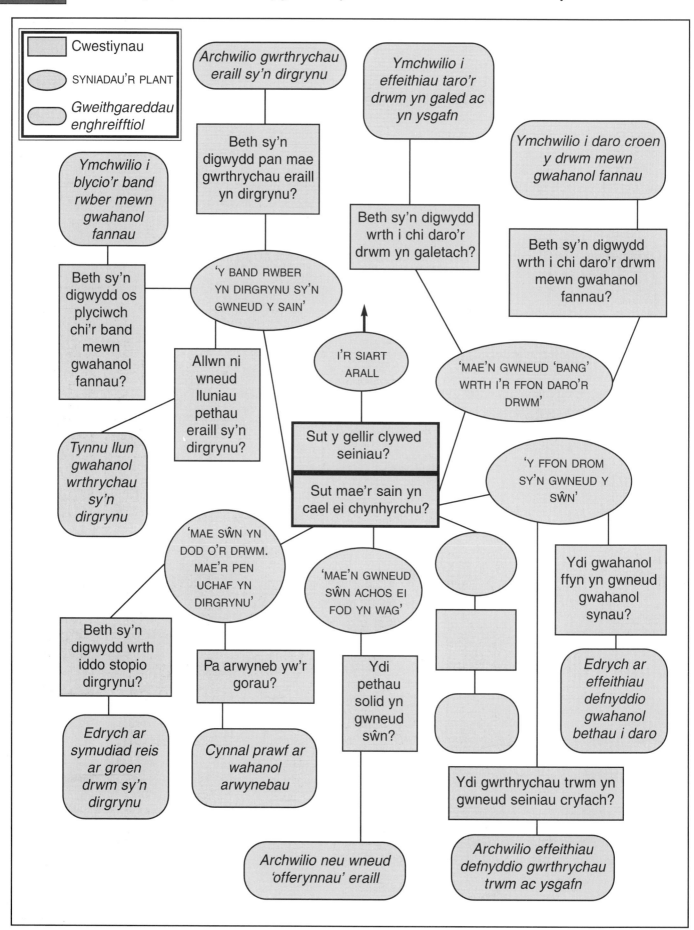

Cwestiynau

SYNIADAU'R PLANT

Gweithgareddau enghreifftiol

Archwilio gwrthrychau eraill sy'n dirgrynu

Ymchwilio i effeithiau taro'r drwm yn galed ac yn ysgafn

Ymchwilio i daro croen y drwm mewn gwahanol fannau

Ymchwilio i blycio'r band rwber mewn gwahanol fannau

Beth sy'n digwydd pan mae gwrthrychau eraill yn dirgrynu?

Beth sy'n digwydd os plyciwch chi'r band mewn gwahanol fannau?

'Y BAND RWBER YN DIRGRYNU SY'N GWNEUD Y SAIN'

Beth sy'n digwydd wrth i chi daro'r drwm yn galetach?

Beth sy'n digwydd wrth i chi daro'r drwm mewn gwahanol fannau?

I'R SIART ARALL

Allwn ni wneud lluniau pethau eraill sy'n dirgrynu?

'MAE'N GWNEUD 'BANG' WRTH I'R FFON DARO'R DRWM'

Tynnu llun gwahanol wrthrychau sy'n dirgrynu

Sut y gellir clywed seiniau?

Sut mae'r sain yn cael ei chynhyrchu?

'Y FFON DROM SY'N GWNEUD Y SŴN'

'MAE SŴN YN DOD O'R DRWM. MAE'R PEN UCHAF YN DIRGRYNU'

'MAE'N GWNEUD SŴN ACHOS EI FOD YN WAG'

Ydi gwahanol ffyn yn gwneud gwahanol synau?

Beth sy'n digwydd wrth iddo stopio dirgrynu?

Pa arwyneb yw'r gorau?

Ydi pethau solid yn gwneud sŵn?

Edrych ar effeithiau defnyddio gwahanol bethau i daro

Edrych ar symudiad reis ar groen drwm sy'n dirgrynu

Cynnal prawf ar wahanol arwynebau

Ydi gwrthrychau trwm yn gwneud seiniau cryfach?

Archwilio neu wneud 'offerynnau' eraill

Archwilio effeithiau defnyddio gwrthrychau trwm ac ysgafn

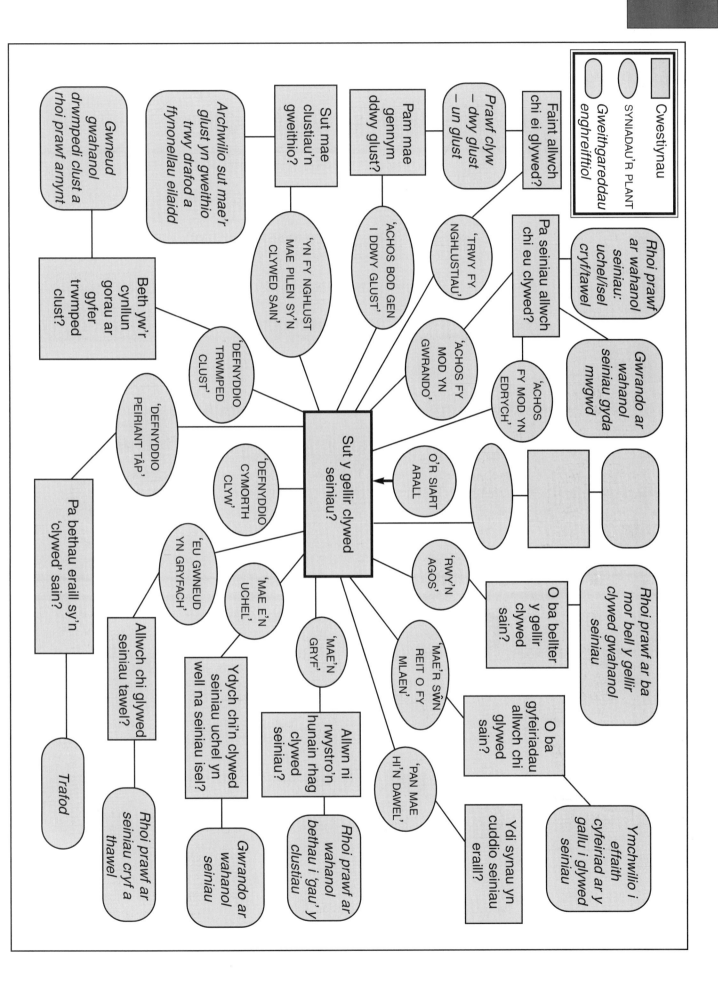

Cwestiynau

SYNIADAU'R PLANT

Gweithgareddau enghreifftiol

Sut y gellir clywed seiniau?

Faint allwch chi ei glywed?

Prawf clyw
– dwy glust
– un glust

Pam mae gennym ddwy glust?

Sut mae clustiau'n gweithio?

Archwilio sut mae'r glust yn gweithio trwy drafod a ffynonellau eilaidd

Gwneud gwahanol drwmpedi clust a rhoi prawf arnynt

Beth yw'r cynllun gorau ar gyfer trwmped clust?

'TRWY FY NGHLUSTIAU'

'ACHOS BOD GEN I DDWY GLUST'

'YN FY NGHLUST MAE PILEN SY'N CLYWED SAIN'

'DEFNYDDIO TRWMPED CLUST'

'DEFNYDDIO PEIRIANT TÂP'

'DEFNYDDIO CYMORTH CLYW'

'EU GWNEUD YN GRYFACH'

Pa seiniau allwch chi eu clywed?

'ACHOS FY MOD YN GWRANDO'

'ACHOS FY MOD YN EDRYCH'

Rhoi prawf ar wahanol seiniau: uchel/isel cryf/tawel

Gwrando ar wahanol seiniau gyda mwgwd

O'R SIART ARALL

'RWY'N AGOS'

'MAE'R SŴN REIT O FY MLAEN'

O ba bellter y gellir clywed sain?

Rhoi prawf ar ba mor bell y gellir clywed gwahanol seiniau

Ymchwilio i effaith cyfeiriad ar y gallu i glywed seiniau

O ba gyfeiriadau allwch chi glywed sain?

Ydi synau yn cuddio seiniau eraill?

'PAN MAE HI'N DAWEL'

'MAE'N GRYF'

'MAE E'N UCHEL'

Allwn ni rwystro'n hunain rhag clywed seiniau?

Rhoi prawf ar wahanol bethau i 'gau' y clustiau

Ydych chi'n clywed seiniau uchel yn well na seiniau isel?

Gwrando ar wahanol seiniau

Allwch chi glywed seiniau tawel?

Rhoi prawf ar seiniau cryf a thawel

Pa bethau eraill sy'n 'clywed' sain?

Trafod

Dylai'r plant gymharu offerynnau cartref ag offerynnau masnachol a nodi tebygrwydd a gwahaniaethau.

Trafodwch sut y mae'r gwahanol offerynnau mewn band neu gerddorfa yn cynhyrchu eu seiniau.

 Tudalennau 2-3, 16-17

Gellid defnyddio *Rhagor am sain a cherddoriaeth* yn sail ar gyfer trafodaeth am y ffyrdd y mae gwahanol offerynnau yn gwneud eu seiniau.

b Cymharu offerynnau tebyg

Gallai'r plant wneud drymiau o wahanol wrthrychau, gan ffurfio casgliad o wahanol fathau o ddrymiau. Gadewch iddynt gynnal profion ar yr holl ddrymiau, a thrafod eu syniadau am sut y mae'r drymiau yn cynhyrchu sain.

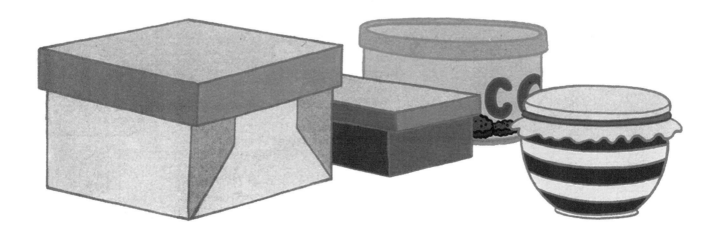

Cymharwch seiniau o'r gwahanol ddrymiau.

 *Damcaniaethu*

C *Ydi pob drwm yn gwneud yr un sain?*
Beth sy'n digwydd wrth i chi daro croen y drwm yn galetach?
Beth sy'n digwydd wrth i chi daro croen y drwm yn ysgafnach?
Beth sy'n digwydd wrth i chi daro croen y drwm mewn gwahanol fannau?

Ymchwiliwch i'r ffactorau sy'n effeithio ar sain y drymiau. Gallai grwpiau o blant ymchwilio i wahanol ffactorau a chyflwyno eu canlyniadau i grwpiau eraill cyn eu trafod yn y dosbarth. Mae'r ffactorau yn cynnwys:

◆ y tensiwn ar groen y drwm (a yw croen tynnach yn gwneud sain cryfach?);
◆ y defnydd a ddefnyddir i wneud croen y drwm;
◆ y defnydd a ddefnyddir i wneud corff y drwm;
◆ maint y drwm.

 *Cyffredinol*

Mae'r ymchwiliadau yn rhoi cyfleoedd i'r plant:

◆ ddamcaniaethu;
◆ cynllunio profion teg;

◆ adnabod newidynnau a rheoli rhai perthnasol;
◆ dod i gasgliadau.

Gellid defnyddio *Sain a cherddoriaeth* ar gyfer trafodaethau ac ymchwil pellach.

  *Tudalennau 2-3*

c Defnyddio reis i ddangos dirgryniadau

Rhowch reis neu ddefnyddiau tebyg i'r plant i'w rhoi ar groen y drwm cyn taro'r drwm. Trwy edrych yn ofalus dylai'r plant ddod i ddeall bod y croen yn dirgrynu ar ôl cael ei daro. Anogwch nhw i edrych y tu hwnt i 'naid' gyntaf y reis.

 o

C *Beth sy'n tynnu eich sylw nawr wrth i chi daro'r drwm?*
Beth sy'n tynnu eich sylw pan mae'r reis yn stopio symud?
Fyddech chi'n gallu dweud a oedd drwm yn gwneud sŵn hyd yn oed petaech yn rhy bell i'w glywed?

 *Arsylwi*

Gall y plant ymestyn eu profiad o wrthrychau'n dirgrynu a gwneud seiniau trwy feddwl am sefyllfaoedd eraill lle ceir dirgryniadau, er enghraifft, gwneud i bren mesur ddirgrynu ar ymyl bwrdd, plycio tant, neu daro trawfforch.

 Gwneir seiniau wrth i bethau ddirgrynu

ch Plycio band elastig

Er mwyn datblygu'r syniadau a gafwyd yn y gweithgaredd dechreuol, rhowch flychau o wahanol faint i'r plant a gwahanol fathau o fandiau elastig.

 o

TC 1

Dehongli canlyniadau a chanfyddiadau

! *Dylai'r plant fod yn ofalus wrth ddefnyddio bandiau elastig*

n *Mae newid hyd, tensiwn, a thrwch y band sy'n dirgrynu yn rhoi seiniau o wahanol draw. Wrth blycio band elastig yn galetach mae'n rhoi sain gryfach*

Gallai'r cwestiynau canlynol helpu'r plant sylwi ar batrymau yn eu canlyniadau.

C *Sut gallwch chi ddarganfod a yw pob band elastig yn gwneud yr un seiniau?*
Beth sy'n digwydd wrth blycio'r band mewn gwahanol leoedd?
Ydi'r sain yn newid os yw'r band wedi ei estyn llawer neu ychydig?
Ydi blychau mawr yn gwneud synau cryfach?
Beth sy'n digwydd wrth i chi blycio mwy ar yr elastig?
Beth sy'n digwydd wrth i chi ddefnyddio band elastig mwy trwchus?

Rhoddodd un grŵp o blant ddarn o bren dan y band mewn gwahanol fannau er mwyn archwilio eu syniadau am sut y mae hyd y defnydd sy'n cael ei blycio yn effeithio ar y sain a gynhyrchir. Roeddent yn plycio'r band elastig ar yr un ochr i'r pren bob tro.

lld *Tudalennau 16-17*

Gellir defnyddio *Rhagor am sain a cherddoriaeth* yn sail ar gyfer trafodaeth am sut y gellir defnyddio gwahanol offerynnau llinynnol i wneud gwahanol seiniau. Gall fod yn fan cychwyn ar gyfer rhagor o ymchwiliadau hefyd.

d Drama sain ar gyfer y radio

Gofynnwch i'r plant ysgrifennu drama radio fer lle mae disgwyl iddynt gynhyrchu'r holl effeithiau sain addas. Yna gallant ddefnyddio rhai o'u syniadau am sain i geisio creu'r union effeithiau. Rhowch gynnig ar wahanol ffyrdd o wneud seiniau gyda gwahanol ddefnyddiau, er enghraifft ysgwyd gwahanol bethau gyda gwahanol gynnwys, dau hanner coconyt, prennau mesur, darn o biben a thwndis.

o

lld *Tudalennau 14-15*

Gellir defnyddio *Rhagor am sain a cherddoriaeth* fel man cychwyn wrth drafod ysgrifennu sgript sain ar gyfer drama radio.

dd Siarad am seiniau

Yn ystod y gweithgareddau a ddisgrifir uchod, mae'n bosibl y bydd rhai o'r plant yn defnyddio'r gair 'dirgrynu' wrth egluro sut y cynhyrchir sain. Efallai y bydd plant eraill yn defnyddio geiriau gwahanol, fel 'crynu' neu 'ysgwyd', i gyfleu eu syniadau. Archwiliwch ystyr y geiriau i'r plant.

C *Beth yw ystyr 'dirgrynu'/'crynu'/'ysgwyd'?*
Sut beth yw dirgrynu/crynu/ysgwyd?
Allwch chi roi enghreifftiau eraill o ddirgrynu/crynu/ysgwyd?
A oes rhywbeth yn dirgrynu/crynu/ysgwyd bob tro y gwneir sain?

Mae *Rhagor am sain a cherddoriaeth* yn rhoi enghreifftiau o eiriau a dywediadau cyffredin sy'n cyfeirio at sain. Anogwch y plant i feddwl amdanynt a thrafod eu hystyr.

 Tudalennau 10-11

2 Clywed seiniau

a Adnabod seiniau a gwahaniaethu rhyngddynt

Gadewch i'r plant recordio gwahanol seiniau gyda recordydd tâp. Yna gallant:

- ystyried ym mha ffyrdd y mae'r seiniau yn debyg;
- ystyried ym mha ffyrdd y mae'r seiniau yn wahanol;
- adnabod a dosbarthu seiniau, er enghraifft a ydynt yn uchel/isel, cryf/tawel, aneglur/pendant;
- trafod geiriau a ddefnyddir i ddisgrifio sain;
- cynnal 'cwis sain': recordiwch wahanol seiniau ymlaen llaw a'u chwarae i'r plant er mwyn iddynt ddyfalu beth sy'n gwneud y sain;

 *Gellir clywed gwahanol fathau o seiniau*

Arsylwi

- gwnewch dâp o wahanol offerynnau yn canu gwahanol nodau, uchel ac isel, cryf a thawel – a yw'r plant yn gallu dweud pa offerynnau sy'n cynhyrchu'r seiniau ar y tâp?

Gellir defnyddio llyfr *Sain a cherddoriaeth* i annog plant i ystyried neu wrando ar seiniau anifeiliaid a'u trafod. Gallech hefyd drafod sut mae anifeiliaid yn clywed seiniau, a gofyn i'r plant lle mae clustiau'r anifeiliaid yn y lluniau.

 Mae gan bob sain ansawdd arbennig (neu soniaredd) sy'n ein helpu wrth adnabod ei ffynhonnell

 Tudalennau 8-9

Cyffredinol

Peidiwch â chwarae seiniau mor uchel fel eu bod yn brifo'r clustiau. Rhybuddiwch y plant y gall seiniau cryf iawn wneud niwed parhaol i'w clyw

Ild *Tudalennau 22-23*

b Pa seiniau yw'r hawsaf i'w clywed?

Mae gofyn cwestiynau fel hyn yn rhoi cyfleoedd i'r plant:

◆ gynllunio ymchwiliad;
◆ gwneud eu hymchwiliad yn un teg;
◆ rhagfynegi pa seiniau fydd yr hawsaf i'w clywed;
◆ cofnodi eu harsylwadau, o bosibl gan ddefnyddio tabl;
◆ dod i gasgliadau.

Bydd angen i'r plant benderfynu:

◆ sut i wneud y seiniau;
◆ pa agweddau o'r seiniau i'w hamrywio;
◆ sut y byddant yn penderfynu pa mor hawdd yw clywed rhywbeth.

Gellid chwarae seiniau a recordiwyd ymlaen llaw ar wahanol gryfder er mwyn i'r plant asesu pa rai yw'r hawsaf i'w clywed. Gallent ddefnyddio graddfa fympwyol, er enghraifft graddfa o 0 (dim byd i'w glywed) i 5 (cryf iawn).

Gellir ail-wneud y gweithgaredd hwn gan ddefnyddio recordydd tâp arall, yn hytrach na chlust, i gasglu'r seiniau. Anogwch y plant i gymharu eu clyw â pherfformiad y recordydd tâp.

Mae seiniau sy'n rhybuddio fel arfer yn rhai sydd yn hawdd i'w clywed. Mae *Sain a cherddoriaeth* yn rhoi enghreifftiau i'r plant eu trafod.

c A yw'r cyfeiriad y daw y sain ohono yn effeithio ar ba mor hawdd rydym yn clywed y sain?

Cafodd yr ymchwiliad a ddangosir yn y llun ei ddyfeisio gan y plant i ymdrin â'r broblem hon. Roedd y plentyn yn y canol yn ceisio pwyntio i gyfeiriad y sain. (Arolygwch y plant yn ofalus.)

C *Ydi hwn yn 'brawf teg'?*
Sut gellir gwella'r prawf?

Cynllunio a chynnal profion teg

Gellir defnyddio darganfyddiadau'r plant yn yr ymchwiliadau i arwain at drafodaethau pellach:

C *Pam mae'n haws clywed o'r cyfeiriad hwn?*
Sut mae'r glust allanol yn helpu i gyfeirio seiniau tuag at bilen y glust?
Welsoch chi anifeiliaid, fel cŵn, yn codi eu clustiau a'u troi tuag at y sain? Pam maen nhw'n gwneud hynny?

Fel arfer mae'n haws clywed seiniau o'r tu blaen. Mae'r glust allanol yn gweithio fel twndis i gasglu seiniau

ch Cynnal profion clyw

Mae plant yn ymwybodol bod rhai pobl yn gallu clywed yn well nag eraill. Efallai y byddant yn awyddus i gynnal profion ar hyn yn y dosbarth. Un ffordd hawdd o wneud hyn yw defnyddio sain cyson a gofyn i'r plant symud oddi wrth (neu tuag at) y sain nes na allant (neu y gallant) ei glywed. Neu dull arall fyddai codi cryfder y sain yn raddol nes bod y plant yn ei glywed.

Rhaid cynnal y math hwn o waith yn ddoeth a sensitif ond gall fod yn gyfle defnyddiol i drafod y ffactorau sy'n effeithio ar glyw unigolion, a byddardod. Trafodwch sut y mae pobl fyddar yn trefnu eu bywydau.

Mae stori yn *Rhagor am sain a cherddoriaeth* am blentyn trwm ei glyw, a gellid ei defnyddio yn sail ar gyfer trafodaeth. Gellid ei chysylltu â phroblemau llefaru a sut rydym yn gwneud seiniau gwahanol eiriau (gweler *Sain a cherddoriaeth*).

Gall derbynyddion sain fod â gwahanol lefelau o sensitifrwydd

Mae gan rai plant broblemau arbennig gyda'u clyw; peidiwch â gwneud iddynt deimlo'n anghyfforddus

Tudalennau 8-9; 12-13

d Gwella'r clyw

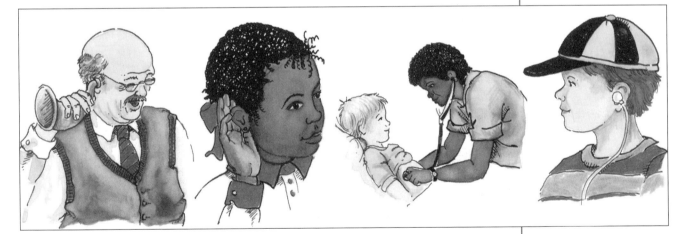

Defnyddir gwahanol ffyrdd o wella'r clyw, fel rhoi llaw y tu ôl i'r glust, trwmpedau clust, stethosgop, a gwahanol fathau o gymhorthion clyw. Lluniwch gasgliad o ddyfeisiau o'r fath a gadael i'r plant roi cynnig arnynt a thrafod sut y maent yn gweithio. Os oes enghreifftiau o ddyfeisiau o'r fath yn eich amgueddfa leol, mae'n bosibl y gall y plant weld mwy o amrywiaeth.

Gellir defnyddio gwahanol ddyfeisiau i wella'r clyw

Dangoswch sut y gellir defnyddio stethosgop i ganfod seiniau, yna gofynnwch i'r plant gynllunio a gwneud offer canfod sain eu hunain.

Bu un grŵp yn dyfeisio a gwneud eu fersiwn eu hunain o diwb siarad mewn llong, fel ffordd o glywed seiniau. Disgrifir y gweithgaredd yn 'Seiniau yn teithio' (tudalen 65).

Cynllunio a chynnal profion teg

Bu dosbarth arall yn dyfeisio ymchwiliadau i archwilio'r cwestiynau canlynol:

C *A oes wahaniaeth pa ben i'r trwmped sydd wrth eich clust?*
Beth yw'r maint gorau ar gyfer trwmped clust?
Beth yw'r siâp gorau ar gyfer trwmped clust?
Beth yw'r defnydd gorau i wneud trwmped clust?
Ydi hi'n bwysig anelu'r trwmped clust i gyfeiriad arbennig?

Rhaid i blant beidio â rhoi pethau yn eu clustiau

Gan weithio mewn grwpiau, bu'r plant yn gwneud nifer o wahanol drwmpedau clust a threfnu profion teg, yn eu barn hwy, i ddarganfod y trwmped gorau.

dd Atal seiniau rhag iddynt gael eu clywed

Mae ein gallu i glywed seiniau yn llai os oes:

◆ niwed i bilen y glust neu rannau eraill o'r glust – gellir trafod hyn wrth gynnal profion ar y clyw;

◆ seiniau eraill yn digwydd yr un pryd gan guddio'r seiniau rydych yn ceisio eu clywed – gofynnwch i'r plant ddisgrifio sefyllfaoedd lle'r oeddent yn methu clywed rhywun yn siarad â nhw oherwydd hyn;

Rhaid i seiniau gyrraedd diaffram y derbynnydd

◆ rhwystrau yn atal y sain rhag cyrraedd y glust – gallai'r plant ddyfeisio prawf i gymharu 'pethau sy'n rhwystro seiniau' (gweler 'Seiniau yn teithio', tudalen 62).

C *Pa un sy'n rhwystro'r sain orau?*

Gwnewch seiniau o wahanol gryfder a thraw, ar bellter penodol oddi wrth y plant.

 C *A yw'n gwneud gwahaniaeth os yw'r sain yn dod o'r tu cefn i chi, o'r tu blaen, neu o'r ochr?*

Gall profion fel hyn fod yn fan cychwyn ar gyfer trafodaeth am sŵn yn yr amgylchedd a sut y gellir ei reoli. Gallai plant chwilio am enghreifftiau o sut a phryd y mae angen lleihau sŵn. Gallent ddechrau gyda'r enghreifftiau yn *Sain a cherddoriaeth.*

 *Tudalennau 4-5*

e Sut mae ein clustiau yn gweithio?

Dyma gwestiwn y bydd rhai plant yn ei ofyn. Bydd plant eraill yn dangos rhyw gymaint o ddealltwriaeth o'r hyn sy'n digwydd y tu mewn i'r glust. Nid yw'n bosibl dangos yr hyn sy'n digwydd yn ymarferol, felly mae angen archwilio'r cwestiwn trwy drafod a defnyddio modelau, a ffynonellau eilaidd eraill. Os oes plant sy'n ymwybodol iawn o bilen (neu dympan) y glust gofynnwch iddynt dynnu llun i ddangos sut y mae'n gweithio, gan ychwanegu geiriau i esbonio'r gwahanol rannau.

Mae gwybodaeth am sut rydym yn clywed seiniau yn *Rhagor am sain a cherddoriaeth.*

 *Tudalennau 6-7*

MEYSYDD YMCHWIL

◆ Y gwahanol ddefnyddiau y mae sain yn mynd trwyddynt.
◆ Beth sy'n digwydd i sain wrth i chi fynd ymhellach oddi wrth ei ffynhonnell.
◆ Lle mae sain yn mynd o'i ffynhonnell.
◆ Gwahanol ffyrdd o gynrychioli sain.
◆ Ffyrdd o leihau swn.
◆ Atseiniau.

SYNIADAU ALLWEDDOL

◆ Mae sain yn ymledu i bob cyfeiriad.
◆ Gellir adlewyrchu sain oddi ar arwynebau, a thrwy hynny gynhyrchu atseiniau.
◆ Mae seiniau'n teithio, gan gymryd amser mesuradwy i wneud hynny.
◆ Mae seiniau'n teithio trwy solidau, hylifau a nwyon.
◆ *Mae sain yn teithio ar ffurf tonnau, sef dirgryniadau yn y sylwedd y mae'r sain yn teithio trwyddo.

(*Mae seren yn nodi syniadau a ddatblygir yn llawnach mewn cyfnodau allweddol diweddarach.)

GOLWG AR
seiniau yn teithio

Fel arfer mae sain yn ymledu'n gyfartal i bob cyfeiriad oddi wrth ffynhonnell y sain.

Mae'r ffynhonnell sain yn dirgrynu gan wneud i'r sylwedd sydd o'i chwmpas ddirgrynu hefyd. Gellir gwneud i bob sylwedd ddirgrynu, rai yn haws nag eraill. Rydym fwyaf cyfarwydd â seiniau sy'n dod atom drwy'r aer, ond mae seiniau yn gallu teithio trwy solidau a hylifau yn ogystal â thrwy nwyon. Yn wir, er mwyn i sain deithio mae'n rhaid i ryw ddefnydd (solid, hylif neu nwy) fod yn bresennol. Ni all sain deithio trwy wagle oherwydd nad oes dim yno i ddirgrynu.

Mae'n bosibl mesur cyflymder sain. Mae sain yn teithio ar wahanol gyflymder mewn gwahanol sylweddau.

Fel arfer, nid yw'r sylwedd sy'n trosglwyddo'r sain i'w weld yn dirgrynu yn amlwg. Ni allwn weld aer yn dirgrynu wrth i don sain fynd trwyddo.

Pan mae ton sain sy'n teithio trwy un defnydd yn cwrdd â defnydd arall, mae rhywfaint o'r sain yn cael ei hadlewyrchu a rhywfaint yn cael ei hamsugno. Mae defnydd fel gwydr yn amsugno'r rhan fwyaf o'r sain sy'n ei daro. Gyda defnydd meddal fel ffelt, mae cyfran fwy o'r sain sy'n ei daro yn mynd i'r defnydd ac yn parhau i symud trwyddo. Ond, caiff llawer o'r egni sain ei wasgaru y tu mewn i'r defnydd wrth wneud i'r defnydd ddirgrynu, a dim ond ychydig sy'n mynd yn ôl i'r aer ar ffurf sain tawelach.

Weithiau gallwch wneud sain sydd i'w chlywed ar unwaith ac yna, ar ôl saib fer, fe'i clywir yr eildro. Mae'r ail sain yn digwydd trwy adlamu yn ôl oddi ar ryw arwyneb. Enw'r sain sy'n cael ei hadlewyrchu yw atsain.

Canfod syniadau'r plant: gweithgareddau dechreuol

Mae pob gweithgaredd sy'n ymwneud â seiniau yn gyfle i ddatgelu syniadau'r plant am drosglwyddo sain. Mae'r ddau weithgaredd canlynol yn canolbwyntio'n benodol ar sain yn teithio.

1 Clywed sain dros bellter

Mae'r gweithgaredd hwn yn rhoi cyfle i'r plant gynnig eu syniadau am sut y mae sain yn cyrraedd atynt o bellter. Mae'n well gwneud hyn mewn neuadd neu yn yr awyr iach, fel y gellir defnyddio pellter mawr i ddangos yr effaith yn iawn.

Pellter mor fawr â phosibl

Dewiswch seiniau sy'n gweddu i'r amgylchiadau. Gallai sain tawel, er enghraifft pin yn disgyn, fod yn addas mewn neuadd, ond byddai'n well defnyddio sain ar dâp y tu allan yn yr awyr iach. Mantais y tâp sain yw y gellir amrywio cryfder y sain. Gofynnwch i'r plant gau eu llygaid a dweud a ydynt yn clywed y sain.

 Sut mae'r sain yn cyrraedd atoch?

Defnyddiwch luniau a geiriau, neu ymatebion ysgrifenedig neu ar lafar, i ddatgelu syniadau'r plant.

Dyma gwestiynau eraill a allai ddatgelu syniadau'r plant am seiniau yn teithio.

 Allech chi glywed y sain petaech chi'n sefyll yn rhywle arall?
Pam mae'r sain yn mynd yn dawelach wrth i chi symud oddi wrthi?
Beth fyddai'n digwydd petai wal frics rhyngoch chi a'r sain?

Os yw'n ymddangos bod y plant yn ymwybodol fod sain yn symud trwy'r aer, holwch:

 Ydi sain yn gallu mynd trwy rywbeth arall (heblaw aer)?

2 Ffôn llinyn

Gellir gwneud ffôn llinyn trwy wneud twll yng ngwaelod dau botyn iogwrt a chlymu darn hir o linyn rhwng y ddau botyn. Yna gall y plant wrando ar y sain a glywir wrth iddynt sibrwd 'i lawr y ffôn' a'i chymharu â'r sain wrth sibrwd dros yr un pellter mewn aer.

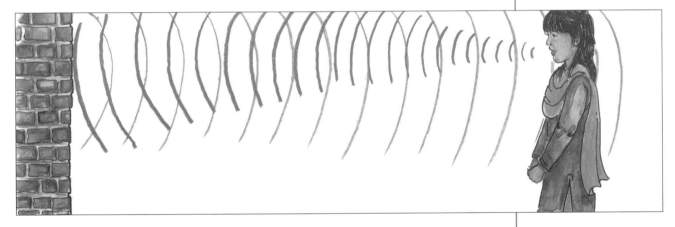

Ni ddylai'r plant edrych yn syth ar ei gilydd wrth ddefnyddio'r ffôn llinyn. Rhaid i'r llinyn fod y dynn er mwyn i'r sain deithio ar ei hyd. Mae ffôn go-iawn yn gweithio oherwydd newidiadau bach yn y cerrynt trydanol sy'n teithio ar hyd y gwifrau

Gallai'r plant ymateb i'ch cwestiynau ar lafar, neu drwy dynnu lluniau ac ychwanegu geiriau atynt.

C
Sut mae'r neges yn cyrraedd eich partner?
Beth mae'r llinyn yn ei wneud?
Beth yw gwaith y cwpanau?
Allech chi ddefnyddio rhywbeth arall yn lle'r llinyn?

3 Atseiniau

Gofynnwch i'r plant sôn am unrhyw brofiad personol o atseiniau. Gallent ysgrifennu hanes beth ddigwyddodd ac o ble y daeth yr atsain, yn eu barn hwy.

C
Beth allwch chi ei ddweud am atseiniau?
Dywedwch eich hanes yn clywed atsain.
Sut beth oedd yr atsain?
O ble y daeth yr atsain, tybed?

PRIFYSGOL CYMRU
Y Drindod Dewi Sant
UNIVERSITY OF WALES
Trinity Saint David

CAD
LRC

TYNNWYD O STOC
WITHDRAWN FROM STOCK

Os oes rhywle y tu allan lle gellid cynhyrchu atsain, ewch â'r plant yno er mwyn iddynt gael profiad o atseiniau.

Gofynnwch iddynt dynnu llun i ddangos yr hyn sy'n achosi atsain, yn eu barn hwy ac ychwanegwch eiriau i egluro'u lluniau.

C *Beth yw atsain?*
Wyddoch chi sut mae cael atsain?
Pryd arall ydych chi'n cael atsain?

Os yw'r plant yn ymwybodol o sain yn teithio, yna byddai'n briodol holi:

C *Beth sy'n digwydd wrth i sain gyrraedd rhywbeth fel wal?*

Syniadau'r plant

Syniadau am sain yn teithio

Mae'n ymddangos nad yw rhai plant yn ymwybodol bod sain ei hun yn symud. Maent yn tueddu i ganolbwyntio ar nodweddion y sain, fel pa mor gryf ydyw, neu nodweddion y ffynhonnell, er enghraifft pa mor agos ydyw. Mae hyn i'w weld yn yr enghraifft ganlynol:

bags barking

It gets tome because it's only across the road and it barks loud.

Efallai y bydd eraill yn deall bod sain yn teithio o'r ffynhonnell at y sawl sy'n gwrando, ond heb egluro sut y mae hynny'n digwydd.

Mae rhai plant yn gwybod bod sain yn teithio trwy aer ond yn credu bod aer yn cario'r sain mewn rhyw ffordd.

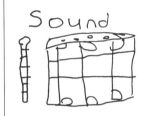

Sound

The rice came up and down when the drum banged. the sound comes in our ears

I think the sound comes in the air

Air

Ymddengys bod rhai plant yn credu bod aer yn symud o'r ffynhonnell at y sawl sy'n clywed y sain, fel yr awgrymir isod:

> *Darn arbennig o aer sy'n mynd i'n clustiau yw sain.*

Syniad arall sy'n codi weithiau yw nad yw sain yn teithio os oes rhywbeth yn rhwystro'i lwybr:

Athro:	*Sut mae'r sain yn cyrraedd atoch chi?*
Plentyn:	*Mae'r diwn yn fach iawn felly mae'n gallu mynd trwy dyllau yn y drws.*

Efallai fod y plentyn hwn o'r farn nad oes angen unrhyw sylwedd i'r sain deithio ynddo.

Hyd yn oed os yw'r plant yn sôn bod aer yn trosglwyddo sain, mae'n bosibl na fyddant yn deall bod aer yn sylwedd. Ymddengys mai dyma'r achos yn y sgwrs nesaf:

Athro:	*Oeddech chi'n disgwyl clywed dan y dŵr?*
Plentyn:	*Nac oeddwn, roedd yn syndod i ni.*
Athro:	*Oeddech chi'n credu y byddai'n well dan y dŵr?*
Plentyn:	*Oeddwn, roedd yn dawelach, ond petai dim sŵn ar yr un pellter yn yr aer rwy'n credu y byddai'n well mewn aer achos mae sain yn teithio'n gyflymach mewn aer nag mewn dŵr. Mae'n rhaid i sain deithio trwy rywbeth mewn dŵr, ond ddim mewn aer.*

Mae'n bosibl y bydd plant yn credu bod sain yn gallu teithio trwy sylweddau eraill yn ogystal â thrwy aer.

Yn achos y ffôn llinyn, mae'r llinyn yn ddyfais drosglwyddo amlwg. Mae'n bosibl y byddant yn meddwl mai dyma'r unig enghraifft o sain yn teithio trwy sylwedd heblaw aer.

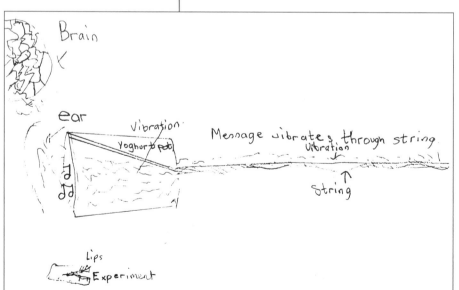

Fel arfer mae sain yn cael ei throsglwyddo'n gyfartal i bob cyfeiriad oddi wrth y ffynhonnell. Mae lluniau'r plant yn aml yn dangos sain yn teithio mewn un cyfeiriad yn unig – yn syth o'r ffynhonnell at y sawl sy'n gwrando.

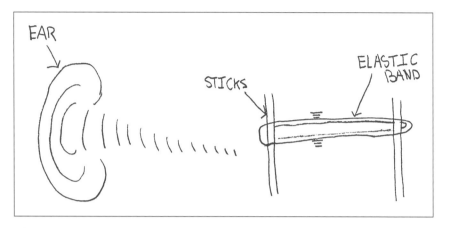

Efallai mai confensiwn yn unig yw hyn neu mae'n bosibl bod y plentyn yn bwriadu dangos sut y mae unigolyn arbennig yn clywed. Os yw plentyn yn tynnu llun o'r fath, mae'n bwysig gofyn a yw'r sain yn teithio i unrhyw gyfeiriad arall oddi wrth y ffynhonnell.

Weithiau bydd plant hŷn yn defnyddio'r ymadrodd 'tonnau sain'. Nid yw hyn o anghenraid yn awgrymu eu bod yn deall y syniad o don sain.

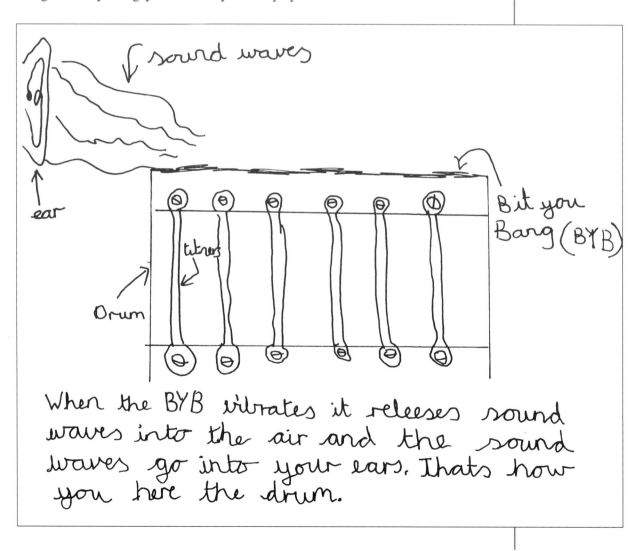

Syniadau am atseiniau ac adlewyrchu sain

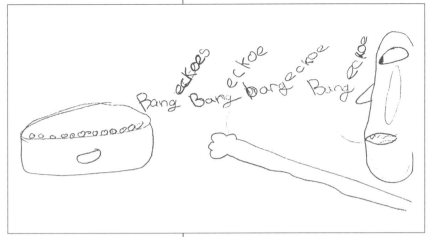

Mae plant yn aml yn cysylltu atseiniau â dau beth – y cyntaf yw lleoedd gwag, amgaeëdig a'r llall yw sain yn cael ei hailadrodd. Efallai y bydd rhai plant yn galw unrhyw sain sy'n cael ei hailadrodd yn atsain hyd yn oed os sain yn cael ei gwneud drosodd a throsodd ydyw mewn gwirionedd. Dyma sy'n digwydd yn yr enghraifft hon o 'atsain' y drwm.

Mae'r cysylltiad â mannau amgaeëdig i'w weld yn amlwg yn y ddeialog hon:

Plentyn:	*A'r tu allan, pan nad oes atsain, mae hynny achos nad ydych chi mewn adeilad neu rywbeth fel twnnel. Rwy'n credu mai pan ydych chi mewn lleoedd mawr dan y ddaear, dyna pryd cewch chi atsain.*
Athro:	*Felly pam mae twnnel yn rhoi atsain?*
Plentyn:	*Mae'n well ei wneud mewn twnnel achos rydych yn cael ychydig mwy ... mae pethau o'i gwmpas ac mae'n atseinio, ond y tu allan, dydi hynny ddim yn digwydd.*

Dyma lun un plentyn yn egluro sut y mae atsain yn digwydd.

Yr un plentyn fu'n ymateb i gwestiynau'r athro fel hyn:

Athro:	*Beth yw atsain?*
Plentyn:	*Wrth i chi weiddi'n eithaf uchel, mae'n gwneud i'r waedd fynd DAN, DAN, DAN, DAN a fydd yr un olaf ddim yn sain fawr iawn.*
Athro:	*Beth sy'n digwydd i'r sain mewn atsain?*
Plentyn:	*Mae'n mynd yn gryf, ychydig yn llai, ychydig yn llai, ychydig yn llai. Mae'n mynd mor fach. Dydi hi ddim yn atseinio am gyfnod hir iawn.*

Mae'r llun a'r sylwadau yn dangos ei fod yn deall natur ailadroddus atsain a'i fod yn lleihau, ond nid yw'n awgrymu sut y cafodd ei ffurfio. Ymddengys bod atsain yn rhywbeth sy'n digwydd ac y gellir ei ddisgrifio'n gywir heb i'r plentyn fod yn ymwybodol bod sain yn cael ei hadlewyrchu, neu o bosibl heb fod yn ymwybodol bod sain yn teithio o gwbl. Yn ddiddorol, mae plant eraill wedi dangos eu bod yn cysylltu atseiniau â sain yn cael ei hailadrodd drosodd a throsodd.

Yn y ddau lun isod mae'r plant yn egluro atsain trwy ddweud ei fod yn sain sy'n 'bownsio yn ôl'. Yn y llun cyntaf ni ddangoswyd y sain yn dod yn ôl at y gwrandawr, ond yn yr ail mae'r atsain yn teithio'n syth tuag ati.

Helpu plant ddatblygu eu syniadau

Mae'r siart gyferbyn yn dangos sut y gallwch helpu plant ddatblygu eu syniadau. Mae'n edrych ar wahanol ymatebion i'r cwestiwn a sut y gallant arwain at wahanol syniadau.

Mae'r petryalau yn y canol yn cynnwys cwestiynau dechreuol.

Mae'r 'swigod meddyliau' o'u hamgylch yn cynnwys y math o syniadau a fynegir gan blant.

Mae'r cylch pellach o betryalau yn cynnwys cwestiynau a ofynnir gan athrawon mewn ymateb i'r syniadau a fynegir gan y plant. Diben y cwestiynau hyn yw sbarduno'r plant i feddwl am eu syniadau.

Mae'r blychau allanol â chorneli crwn yn dangos ffyrdd y gallai'r plant ymateb i gwestiynau'r athrawon.

1 Meddwl am sain yn symud

Mae sain yn teithio

Mae angen i blant gael mwy o brofiad o sain, a meddwl am sut y mae sain yn teithio, ystyried ei ffynhonnell, ei fuanedd, ei gryfder a'i gyfeiriad.

a Seiniau a ffynonellau seiniau

Arsylwi

Anogwch y plant i wahaniaethu'n glir rhwng seiniau a'u ffynonellau. Gwrandewch ar seiniau. Gofynnwch iddynt ysgrifennu enw'r hyn sy'n cynhyrchu'r sain, yna disgrifio'r sain ei hun. Gallent gofnodi eu harsylwadau mewn tabl.

Beth sy'n gwneud y sain?		Sut sain ydyw?
ffôn		canu, cerddorol
cloc larwm		cryf, tician, tocian
cegin		bangio, curo
recorder		soniarus, melodïaidd
dŵr o'r tap		diferu, tawel

Tudalennau 20-21

Gellid defnyddio lluniau yn *Sain a cherddoriaeth* fel canolbwynt i drafodaethau am ffynhonnell seiniau.

Helpu plant ddatblygu eu syniadau am sain yn teithio ac adlewyrchu

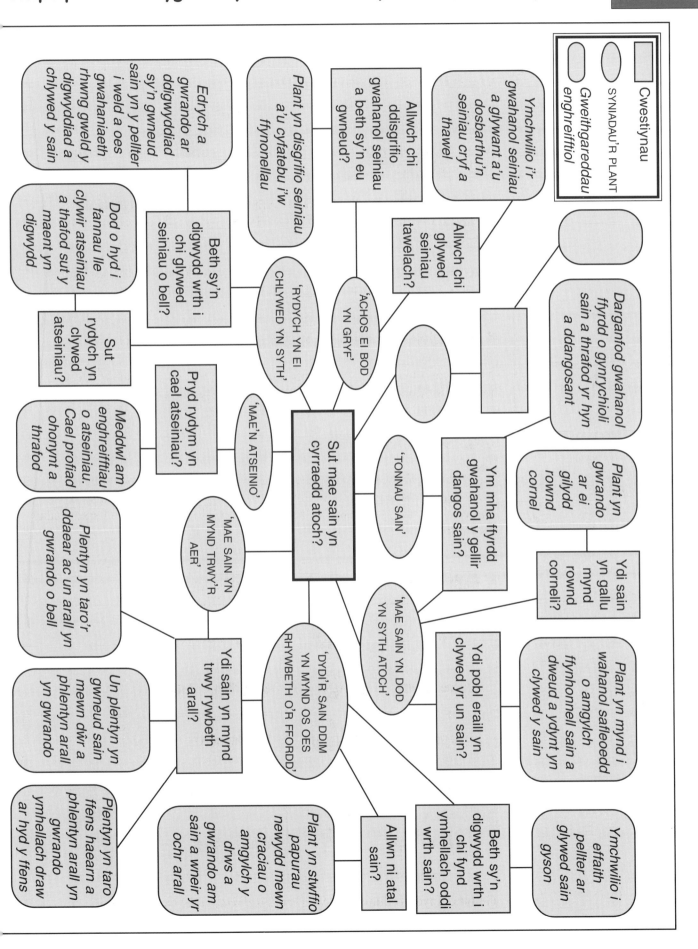

Cwestiynau

SYNIADAU'R PLANT

Gweithgareddau enghreifftiol

Ymchwilio i'r gwahanol seiniau a glywant a'u dosbarthu'n seiniau cryf a thawel

Allwch chi ddisgrifio gwahanol seiniau a beth sy'n eu gwneud?

Plant yn disgrifio seiniau a'u cyfatebu i'w ffynonellau

Edrych a gwrando ar ddigwyddiad sy'n gwneud sain yn y pellter i weld a oes gwahaniaeth rhwng gweld y digwyddiad a chlywed y sain

Beth sy'n digwydd wrth i chi glywed seiniau o bell?

Dod o hyd i fannau lle clywir atseiniau a thafod sut y maent yn digwydd

Sut rydych yn clywed atseiniau?

Meddwl am enghreifftiau o atseiniau. Cael profiad ohonynt a thrafod

Pryd rydym yn cael atseiniau?

'RYDYCH YN EI CHLYWED YN SYTH'

'ACHOS EI BOD YN GRYF'

'MAE'N ATSEINIO'

'MAE SAIN YN MYND TRWY'R AER'

Allwch chi glywed seiniau tawelach?

Sut mae sain yn cyrraedd atoch?

'TONNAU SAIN'

'MAE SAIN YN DOD YN SYTH ATOCH'

'DYDI'R SAIN DDIM YN MYND OS OES RHYWBETH O'R FFORDD'

Ydi sain yn mynd trwy rywbeth arall?

Un plentyn yn gwneud sain mewn dŵr a phlentyn arall yn gwrando

Plentyn yn taro'r ddaear ac un arall yn gwrando o bell

Plentyn yn taro ffens haearn a phlentyn arall yn gwrando ymhellach draw ar hyd y ffens

Plant yn stwffio papurau newydd mewn craciau o amgylch y drws a gwrando am sain a wneir yr ochr arall

Allwn ni atal sain?

Darganfod gwahanol ffyrdd o gynrychioli sain a thrafod yr hyn a ddangosant

Plant yn gwrando ar ei gilydd rownd cornel

Ydi sain yn gallu mynd rownd corneli?

Ym mha ffyrdd gwahanol y gellir dangos sain?

Ydi pobl eraill yn clywed yr un sain?

Plant yn mynd i wahanol safleoedd o amgylch ffynhonnell sain a dweud a ydynt yn clywed y sain

Beth sy'n digwydd wrth i chi fynd ymhellach oddi wrth sain?

Ydi sain yn digwydd wrth i chi fynd ymhellach oddi wrth sain?

Ymchwilio i effaith pellter ar glywed sain gyson

59

b Clywed seiniau o bell

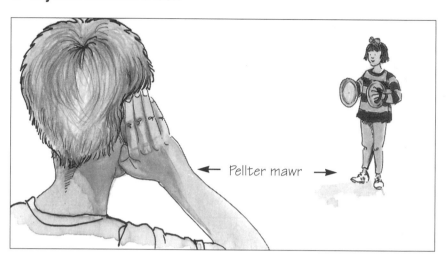

Pellter mawr

n *Mae sain yn cymryd amser i deithio*

TC 1 *Arsylwi*

Yn ystod storm fe glywch y daran beth amser ar ôl gweld y fellten. Er bod y fflach a'r sain yn digwydd bron yr un pryd, mae'r sain yn teithio'n arafach na'r goleuni. Gellid gofyn i'r plant archwilio effeithiau tebyg pan fyddant yn sefyll ymhell oddi wrth ffynhonnell sy'n cynhyrchu sain sy'n fer ac ysbeidiol. Gallant gymharu gweld a chlywed pêl yn taro bat, neu rywun yn taro dau ddarn o bren yn erbyn ei gilydd.

Gall y gweithgaredd hwn helpu'r plant ddefnyddio dau synnwyr gwahanol a gwahaniaethu rhyngddynt.

C *Beth sy'n digwydd?*
Pam mae gwahaniaeth rhwng yr hyn a welwch a'r hyn a glywch?
Sut rydych yn clywed y sain yn cael ei chynhyrchu ymhell oddi wrthych?

Gallai grwpiau o blant gyflwyno eu hymatebion ar bosteri.

TC 1 *Cyfathrebu*

c Darganfod atseiniau

Anogwch y plant i geisio darganfod mannau lle clywir atseiniau. Gadewch iddynt wneud seiniau fel clapio'n galed, neu daro dau ddarn o bren yn erbyn ei gilydd, a gwrando am atsain.

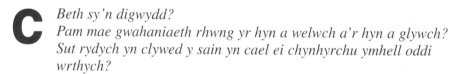

n *Sain a glywir yr eildro yw atsain. Mae seiniau yn gallu adlamu oddi ar arwyneb*

C *Allwch chi wneud i'r un sain ei hailadrodd ei hun?*
Ydych chi'n clywed yr un sain bob tro?
Pam rydych chi'n clywed y sain ddwywaith?

Gallai grwpiau baratoi poster i gyflwyno eu syniadau am yr hyn sy'n digwydd, a thrwy hynny ddatblygu un o'r medrau sy'n perthyn i'r prosesau gwyddonol, sef cyfathrebu.

Mae *Rhagor am sain a cherddoriaeth* yn edrych ar atseiniau mewn gwahanol sefyllfaoedd. Gellid defnyddio'r enghreifftiau hyn yn sail ar gyfer ymchwiliad a thrafodaethau pellach. Mae llyfr *Sain a cherddoriaeth* yn rhoi enghraifft o anifail sy'n defnyddio atseiniau.

Mae'n bosibl y bydd gan y plant syniadau am yr amodau sy'n angenrheidiol er mwyn cael atseiniau. Efallai y gallant roi prawf ar rai o'r syniadau hyn. Syniad un grŵp, er enghraifft, oedd nad oedd atseiniau ond yn digwydd pan oeddech ar eich pen eich hun.

Cyfathrebu

Tudalennau 12-13; 8

Damcaniaethu a chynnal profion

2 Sain yn teithio trwy wahanol ddefnyddiau

a Trwy pa ddefnyddiau y mae seiniau yn teithio?

Dyma nifer o weithgareddau syml i'r plant archwilio trwy ba ddefnyddiau y mae seiniau yn teithio. Efallai y bydd rhai o'r plant yn dyfeisio ymchwiliadau eu hunain, ond y bydd angen annog eraill trwy holi'n fwy penodol fel yr ail gwestiwn isod:

Mae sain yn teithio trwy wahanol ddefnyddiau

C *Trwy beth y mae sain yn mynd?*
Allwch chi ddarganfod a yw sain yn mynd trwy fetel?

Gallai'r plant hefyd drafod eu profiad personol o sain yn teithio.

C *Ydych chi wedi sylwi ar sain yn mynd trwy rywbeth heblaw aer?*

Gallai'r plant ehangu'r ymchwiliadau gyda'r ffôn llinyn yn y gweithgareddau dechreuol (tudalen 51) i bwysleisio'r syniad fod sain yn gallu teithio trwy linyn.

C *Beth yw'r darn llinyn hiraf y gallwch ei ddefnyddio a dal i glywed y sain?*
A yw'n gwneud gwahaniaeth os yw'r llinyn yn wlyb/sych, tenau/trwchus, ac ati?
Pa ddefnyddiau eraill y gellid eu defnyddio yn hytrach na llinyn?

b Rhwystro seiniau

Dyma weithgareddau a gafodd eu dyfeisio gan blant.

Trwy wneud y gweithgareddau hyn, gall y plant ddatblygu eu syniadau am y gwahanol fathau o ddefnyddiau y mae sain yn teithio trwyddynt. Efallai y byddant yn dechrau sylweddoli bod sain yn gallu teithio trwy'r defnyddiau solid a ddefnyddiwyd ganddynt i rwystro'r sain, a bod y sain yn mynd yn llai wrth deithio trwy'r defnydd, nes diflannu'n llwyr weithiau. (Gweler hefyd dudalen 46.)

Gellid ymestyn y gweithgareddau hyn gan roi cyfleoedd i'r plant gynllunio ymchwiliadau, cynnal profion teg a rhagfynegi.

C *Pa fath o ddefnydd yw'r gorau ar gyfer lleihau sŵn?*
A yw'n haws rhwystro rhai seiniau nag eraill?

n *Mae sain yn teithio trwy rai defnyddiau yn well nag eraill*

 Cynllunio a chynnal profion teg

3 I ble mae sain yn mynd o'i ffynhonnell?

a Mynd ymhellach oddi wrth y sain

Mae'r gweithgaredd hwn yn ddatblygiad o'r gweithgaredd dechreuol ar dudalen 50.

Mae angen digon o le, naill ai dan do neu yn yr awyr iach. Pellter yw'r prif ffactor sy'n cael ei newid. Dylid annog y plant i ddyfeisio prawf teg, fel bod yr ymchwiliad yn canolbwyntio ar y pellter o'r ffynhonnell sain.

Cynllunio a chynnal profion teg

C *O ba bellter allwch chi glywed sain?*
Ydi hi'n haws clywed y sain os gallwch weld y ffynhonnell?
A fydd defnyddio megaffon yn effeithio ar y pellter y gellir clywed y sain?
Os yw'r gwynt yn chwythu, ydi hynny'n effeithio ar y pellter y gellir clywed y sain?
Ydi'r tywydd yn gallu effeithio ar y pellter y gellir clywed y sain?
Ydym ni'n clywed seiniau dros fwy o bellter yn y nos? Pam?
Os oes rhywun gwahanol yn gwrando, a yw'r canlyniad yr un peth?

Mae'n debyg ei bod yn anodd deall y rheswm pam y mae sain yn lleihau wrth i'r pellter oddi wrth y ffynhonnell gynyddu, ond gallai'r gweithgareddau helpu'r plant ddod yn fwy ymwybodol o sain yn teithio.

Mae sain yn lleihau wrth i'r pellter oddi wrth y ffynhonnell gynyddu – y prif reswm yw fod sain yn ymledu i bob cyfeiriad o'r ffynhonnell

b A yw pobl eraill yn gallu clywed yr un sain?

Anogwch y plant i ddarganfod a yw hi'n bosibl clywed sain o wahanol safleoedd.

Gofynnwch i'r plant sefyll mewn gwahanol safleoedd o amgylch ffynhonnell sain. A yw pawb yn gallu clywed y sain? Gadewch i'r plant gerdded o amgylch y ffynhonnell, neu gamu drosti, neu gerdded oddi tani. (Mae dau newidyn yn y fan hyn – gwahanol blant yn ogystal â gwahanol safleoedd – ond nid oes ffordd hawdd o osgoi hyn. Os yw plentyn yn symud i wrando o wahanol safle yna mae'n gwrando ar adeg wahanol.)

Mae sain yn ymledu o'r ffynhonnell. Mae rhai dyfeisiau yn anfon y sain yn gryfach mewn cyfeiriad arbennig

lld *Tudalennau 14-15; 18-19*

Mae'n bwysig fod y ffynhonnell yn anfon yr un faint o sain i bob cyfeiriad. Yna gall y plant gymharu hyn ag effaith y darseinydd mewn radio, sydd ag effaith ychydig yn wahanol i wahanol gyfeiriadau.

Mae stori yn llyfr *Sain a cherddoriaeth* sy'n rhoi enghreifftiau o glywed seiniau a phlant yn ceisio eu hadnabod. Gellid defnyddio hyn i drafod seiniau a symbylu'r plant ar gyfer ysgrifennu creadigol.

c Edrych ar ffyrdd o gynrychioli sain

Gellid gofyn i'r plant ddarlunio gwahanol fathau o sain – cerddoriaeth, synau, seiniau cryf neu dawel, ffrwydradau, pobl yn siarad. Gallent drafod y gwahanol ffyrdd y maent wedi eu defnyddio i ddangos sain.

C *Pa rai sy'n dangos sut y mae sain yn teithio?*

Casglwch luniau o gylchgronau sy'n dangos sain mewn gwahanol ffyrdd. Trafodwch sut y dangosir yr argraff fod yno sain a pha mor gywir y maent yn cynrychioli'r hyn y mae'r sain yn ei wneud.

C *Pa mor dda y maen nhw'n cynrychioli cyfeiriad teithio'r sain?*

Os bydd sôn am 'donnau sain', mae'n gyfle i'r plant drafod ystyr y term iddynt hwy.

Mae llyfr *Sain a cherddoriaeth* yn rhoi enghreifftiau o ddefnyddio geiriau i gynrychioli seiniau mewn barddoniaeth, a dulliau o gynrychiolir seiniau mewn comigau.

lld *Tudalennau 6-7; 14-15*

ch Ydi sain yn gallu teithio rownd corneli?

Trwy chwilio am dystiolaeth i ateb y cwestiwn hwn gall y plant ddod yn fwy ymwybodol bod sain yn ymledu i bob cyfeiriad.

- Gwrando rownd y gornel ar rywun yn cynhyrchu sain.
- Gwrando y tu ôl i wal ar rywun yn cynhyrchu sain.
- Defnyddio tiwb rwber hir: siarad i lawr un pen a gwrando ar y pen arall.

Mae'r sain yn teithio trwy'r aer yn y tiwb trwy adlewyrchu oddi ar du mewn y tiwb nifer o weithiau

Asesu

4.1 Rhagarweiniad

Byddwch wedi bod yn asesu syniadau a medrau eich plant gan ddefnyddio'r gweithgareddau yn y canllaw hwn i athrawon. Yn y bôn mae'r asesu parhaus, ffurfiannol hwn yn rhan o addysgu gan fod yr hyn rydych yn ei ddarganfod yn cael ei ddefnyddio'n syth i awgrymu'r camau nesaf i helpu cynnydd y plant. Ond gellir dod â'r wybodaeth hon i gyd at ei gilydd a'i chrynhoi ar gyfer cofnodi ac adrodd cynnydd. Rhaid i'r crynodeb hwn o berfformiad fod yn nhermau disgrifiadau lefel y Cwricwlwm Cenedlaethol ar ddiwedd y cyfnodau allweddol, a bydd rhai ysgolion yn cadw cofnodion o'r lefelau ar adegau eraill.

Mae'r bennod hon yn eich helpu i grynhoi'r wybodaeth a gasglwch o waith y plant yn nhermau disgrifiadau lefel. Trafodir enghreifftiau o waith sy'n gysylltiedig â themâu'r canllaw hwn a thynnir sylw at nodweddion sy'n dangos gweithgaredd ar lefel benodol i ddangos yr hyn y dylech chwilio amdano yng ngwaith y disgyblion fel tystiolaeth o gyrhaeddiad ar un lefel neu'i gilydd. Fodd bynnag, mae angen edrych ar draws holl ystod y gwaith, a pheidio â barnu trwy ystyried un digwyddiad neu ddarn o waith yn unig.

Darperir dwy set o enghreifftiau. Mae'r gyntaf yn asesu medrau yng nghyddestun y gweithgareddau sy'n gysylltiedig â'r cysyniadau a gwmpasir yn y canllaw hwn. Mae'r ail yn ymwneud â datblygiad y cysyniadau hynny.

4.2 Asesu medrau (TC1)

Pethau i chwilio amdanynt pan fydd disgyblion yn ymchwilio i sain a cherddoriaeth, yn dangos cynnydd o lefel 2 i lefel 5:

Lefel 2: Awgrymu yn ogystal ag ymateb i awgrymiadau pobl eraill ynglŷn â sut i ddarganfod pethau am seiniau o ran eu traw a'u cryfder/seinfanedd neu eu cymharu. Defnyddio offer, megis offerynnau cerdd neu recordydd tâp, i arsylwi. Cofnodi eu darganfyddiadau a'u cymharu â'r hyn y disgwylient ei ddarganfod.

Lefel 3: Dweud beth y disgwyliant ei weld yn digwydd pan newidir rhywbeth ac awgrymu ffyrdd o gasglu gwybodaeth i roi prawf ar eu rhagfynegiadau. Cynnal profion teg, gwybod pam maent yn deg, a mesur. Cofnodi'r hyn a ddarganfyddant mewn nifer o ffyrdd; sylwi ar unrhyw batrymau ynddo.

Lefel 4: Gwneud rhagfynegiadau sy'n ganllaw wrth gynllunio profion teg. Defnyddio offer addas a gwneud arsylwadau addas a pherthnasol. Defnyddio tablau a siartiau i gofnodi mesuriadau ac arsylwadau eraill. Dehongli, dod i gasgliadau a cheisio cysylltu eu darganfyddiadau â gwybodaeth wyddonol.

Lefel 5: Cynllunio ymchwiliadau wedi'u rheoli er mwyn rhoi prawf ar ragfynegiadau sy'n seiliedig ar wybodaeth wyddonol. Defnyddio offer yn ofalus, ailadrodd arsylwadau yn ôl yr angen. Defnyddio graffiau llinell i gofnodi a chynorthwyo wrth ddehongli; ystyried eu darganfyddiadau mewn perthynas â gwybodaeth wyddonol.

Roedd yr athro yn bwriadu ystyried sain o fewn topig ehangach sef 'cyfathrebu'. Gofynnwyd i'r plant mewn un grŵp ddechrau trwy archwilio eu syniadau gan ddefnyddio ffôn llinyn. Roedd hyn yn rhoi cyfle iddynt ddatblygu eu dealltwriaeth o sain ynghyd â'u medrau ymchwiliol. Bu'r plant yn trafod eu syniadau am sut y mae'r sain yn teithio ar hyd y llinyn er mwyn iddynt ei glywed. Roedd rhai o'r farn bod y sain yn teithio yng nghanol y llinyn. O holi ymhellach gwelwyd bod y plant hyn yn credu bod y sain yn teithio mewn twll yn y llinyn a oedd yn rhy fach i'w weld. Wedi iddynt egluro bod y sain yn teithio ar hyd y llinyn, bu rhai yn tynnu lluniau i gynrychioli'r symudiad.

Trwy holi, roedd yr athro yn gallu helpu'r plant lunio ymchwiliadau i roi prawf ar eu syniadau:

A fyddai sain yn teithio trwy ddefnyddiau eraill?
Allwch chi ddarganfod a yw sain yn teithio trwy ddefnyddiau sy'n solid yn eich barn chi?
Beth sy'n digwydd i'r sain os yw'r llinyn yn llac?
Allwch chi glywed sain wrth ddefnyddio defnyddiau eraill?
Sut mae seiniau'n teithio os nad oes llinyn?

Aeth y plant ati i ddatblygu gwahanol ymchwiliadau. Bu rhai yn archwilio a yw sain yn teithio trwy wahanol ddefnyddiau, eraill yn archwilio a oes angen cael bwlch neu dwll er mwyn i'r sain deithio; bu nifer o blant yn archwilio effaith llacio'r llinyn. Gofynnodd yr athro iddynt ddarganfod gwahanol ffyrdd o gyflwyno eu canlyniadau. Defnyddiodd rhai bosteri, bu eraill yn disgrifio eu hymchwiliadau ar lafar neu ar bapur. Trwy gynnal trafodaeth yn y dosbarth bu'n bosibl i'r plant feddwl am addasu eu profion yn ogystal ag ailystyried eu syniadau am sain yn teithio.

Mae John a Helen (dros y dudalen) wedi cofnodi eu darganfyddiadau wrth iddynt ymchwilio i'r ffôn llinyn. Maent hefyd wedi dangos, yn eu lluniau ac mewn geiriau, bod sain yn teithio (fel dirgryniadau?) ar hyd y llinyn. Mae eu gwaith ymchwilio ar lefel 2, er bod eu dealltwriaeth yn agosáu at lefel 3. Byddai trafod eu gwaith gydag eraill yn helpu'r ddau feddwl am eu hymchwiliadau a defnyddio eu casgliadau i ddatblygu eu syniadau am sain yn teithio er mwyn awgrymu ymchwiliadau pellach.

Mae Ilyas a'i bartner (dros y dudalen) yn disgrifio sut y buont yn cynnal gweithgaredd tebyg i un John a Helen ond yn egluro beth ddigwyddodd wrth iddynt ddefnyddio'r ffôn â'r llinyn 'wedi plygu' a'r ffôn yn gwrthod gweithio. Nid oes arwydd iddynt gynnal prawf teg trwy edrych ar linyn syth, yna'r un wedi plygu, ac felly y casgliad am waith Ilyas yw ei fod ar lefel 2, gydag argoelion o gynnydd tuag at lefel 3.

4

The message is going through the string telephone

John

Helen

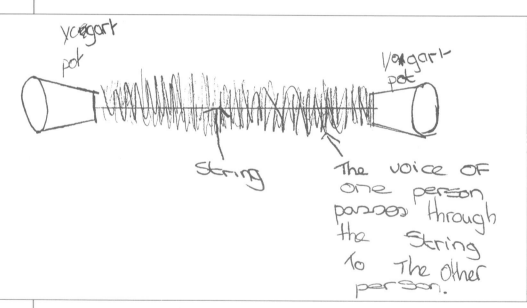

yogart pot

Yogart pot

String

The voice of one person passes through the string to the other person.

Ilyas a'i bartner

First we went into the corridor then we got the string straight. Then we whispered a message into the beaker. It worked like a real telephone. If you bend the string you cannot hear anything.

Mae llun Kulsum a'i bartner yn cofnodi eu hymchwiliad ac yn ymgais i wneud synnwyr o'u canlyniadau yn nhermau sain yn teithio fel dirgryniadau. Mae'n amlwg beth y maent wedi'i ddarganfod o'u gwaith, ac maent yn ceisio egluro eu darganfyddiadau. Mae'r llun yn dangos eu bod yn gweithio ar lefel 3.

Kulsum a'i bartner

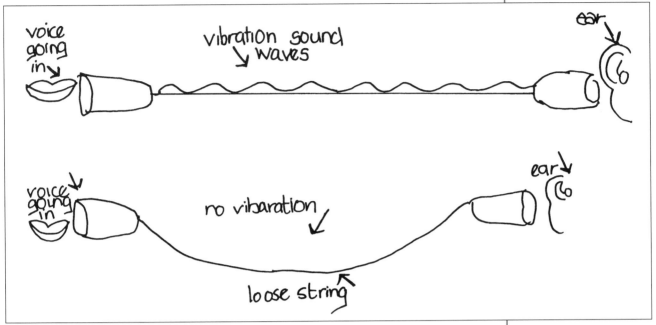

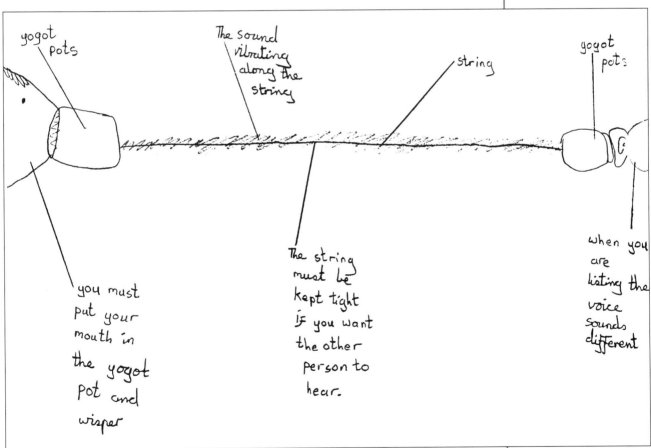

Sharon

Mae gwaith Sharon yn nes at lefel 3. Gwnaeth nifer o arsylwadau perthnasol – am ble i roi eich ceg, am y math o sain a glywir, a pha mor dynn yw'r llinyn. Mae hi hefyd yn cofnodi ei harsylwadau mewn ffordd addas ac eglur. Mae'n bosibl fod ei chyfeiriad at sibrwd yn dangos ei bod yn ymwybodol na fyddai'r prawf yn un teg pe gallech glywed y llais beth bynnag.

4.3 Asesu dealltwriaeth plant (Rhan o TC4)

Mewn gwaith yn gysylltiedig â sain a cherddoriaeth, dangosir cynnydd o lefel 2 i lefel 5 trwy:

Lefel 2: Adnabod gwahaniaethau rhwng seiniau; eu cymharu yn nhermau traw a chryfder/seinfanedd, a'u cysylltu â'u ffynhonnell. Gwybod bod sain yn teithio oddi wrth ei ffynhonnell ac yn cael ei chlywed wrth gyrraedd y glust.

Lefel 3: Gwybod bod seiniau yn cael eu cynhyrchu wrth i wrthrychau ddirgrynu. Ceisio egluro pam mae rhai seiniau yn gryfach nag eraill ac yn swnio'n wahanol i'w gilydd, yn nhermau safle ffynhonnell y sain a'r math o ffynhonnell ydyw. Ymwybyddiaeth bod sain yn teithio trwy wahanol ddefnyddiau ac o ffenomenon atseiniau.

Lefel 4: Defnyddio gwahanol brofiad o seiniau i adnabod rhai priodweddau cyffredinol sy'n perthyn i sain, megis ei bod yn teithio trwy ddefnyddiau ar ffurf dirgryniadau ac yn cymryd amser i deithio trwy ddefnyddiau.

Lefel 5: Gwybod bod sain yn gyfystyr â dirgryniadau a disgrifio sain yn teithio ar ffurf dirgryniadau yn y cyfrwng sydd o'i gwmpas. Defnyddio'r syniad o ddirgryniadau i egluro sut y gellir newid traw a seinfanedd sain a gynhyrchir gan wrthrychau sy'n dirgrynu.

Os edrychwn yn ôl ar waith y plentyn ar ben tudalen 34 fe welwn enghraifft o gysylltu ffynhonnell sain â dirgryniad. Er bod y sain yn cael ei thrin fel petai'n wahanol i'r dirgryniad pan mae'r sain yn teithio. Nid yw plant yn deall bod sain yn teithio trwy gyfrwng yn gyfystyr â dirgryniadau yn teithio trwy gyfrwng tan lefel 5. Mae'n ymddangos bod y gwaith ar dudalen 34 ar lefel 3, sy'n cael ei gadarnhau gan y dystiolaeth ychwanegol fod y plentyn yn ymwybodol bod sain yn teithio yn y drwm.

Mae darn arall o waith am y drwm, ar dudalen 36, yn dangos nifer o'r un syniadau ond yn mynd gam ymhellach trwy gysylltu newid yn nhraw y drwm â pha mor dynn yw croen y drwm. Mae'r disgrifiad o sut y mae'r sain yn mynd i'r glust yn cael ei gyflwyno fel petai'n wir am bob sain ac nid y drwm yn unig. Petai hynny'n cael ei gadarnhau mewn trafodaeth, byddai'r gwaith yn dangos cynnydd tuag at lefel 4.

Yn y gwaith a ddangosir isod roedd Sarah, John a Kate yn ceisio egluro pam, mewn storm o fellt a tharanau, y maent yn gweld y mellt cyn clywed y sain. Mae Sarah yn egluro'r gwahaniaeth yn y buanedd trwy ddweud bod goleuni yn teithio ar unwaith, tra bo Kate yn egluro bod goleuni yn teithio yn gyflym iawn ac na all sain deithio mor gyflym. Mae John yn sôn bod goleuni yn teithio'n gyflym a sain yn teithio'n araf. Mae pob un yn eu gwahanol ffyrdd yn dangos ymwybyddiaeth bod sain yn cymryd amser i deithio, sef agwedd o gyrhaeddiad ar lefel 4.

I think you see the flash comes before the bang because light travel instantly and then the bang comes (sound)

 and then

flash

Sarah

I think an echo x
Thunder and lightning is a sound and some sort of light.
We see the flash before the bang because it is faster than sound.

fast   Slow

John

it is
[twingle] because
light travles
at such a
tcurific speed
Sound canaot
compet so ther
for light comes
befor sound.

Kate

Bu grwpiau o blant yn archwilio sut i gynhyrchu seiniau trwy blycio un pen i bren mesur ar ymyl bwrdd. Yn ystod sesiwn drafod, eglurodd un o'r plant fod y sain yn digwydd wrth i'r pren mesur ddirgrynu.

Athrawes	*Beth sy'n digwydd wrth i'r pren mesur ddirgrynu?*
Sue	*Mae'n gwneud sain, mae'n ysgwyd yr aer ac mae'r tonnau sain yn mynd i bobman.*
Athrawes	*Oes yna ddirgryniadau bob tro rydych chi'n clywed sain?*
Sue	*Oes.*
Athrawes	*Ydych chi'n cael sain heb ddirgryniadau weithiau?*
Sue	*Na, y dirgryniadau sy'n gwneud y sain.*

Mae'n amlwg fod Sue wedi deall y cysylltiad rhwng y dirgryniadau a sain ac mae'n deall bod y sain yn teithio trwy'r aer fel dirgryniad. Mae hi felly wedi cyflawni rhai agweddau ar lefel 5.

Gwnaeth Joe lun gyda geiriau sy'n awgrymu bod ei waith yn symud tuag at lefel 5. Mae'n sôn bod croen y drwm yn dirgrynu wrth i seiniau gael eu cynhyrchu. Yna mae'n egluro bod y seiniau yn troi'n donnau sain sy'n teithio at y glust. Byddai angen archwilio'r syniadau hyn gyda Joe i weld a yw'n credu mai dirgryniadau yn yr aer yw sain (lefel 5), ynteu a yw'n dal i feddwl eu bod yn wahanol, gyda'r sain yn troi'n ddirgryniadau ar ryw bwynt.

Joe

Cefndir gwyddonol

Beth yw sain?

Mae'r ateb amlwg – 'Sain yw'r hyn rydych yn ei glywed' – yn eithaf gwir. Mae geiriaduron yn diffinio sain fel rhywbeth y mae ein clustiau yn ei glywed. Gwrthrychau yn dirgrynu sy'n achosi seiniau. Mae ein laryncs, er enghraifft, yn dirgrynu wrth i ni orfodi aer i symud trwyddo wrth siarad. Mae tant ffidil yn dirgrynu wrth inni dynnu'r bwa ar ei hyd. Mae'r aer mewn clarinet yn dirgrynu wrth inni chwythu i'r gorsen. Wrth gau drws car mae'n gwneud i'r haenau metel ddirgrynu gan wneud i'r aer sy'n dod i gysylltiad â'r drysau ddirgrynu hefyd – ac rydym yn clywed y sain. Lle bynnag y mae seiniau yn cael eu cynhyrchu, mae'n bosibl dod o hyd i wrthrychau yn dirgrynu, a dyma ffynhonnell y sain. Mae'r gwrthrych dirgrynol hefyd yn gwneud i'r aer 'ddirgrynu', gan wneud i'r gronynnau wrthdaro yn erbyn ei gilydd. Mae'r symudiad hwn yng ngronynnau'r aer yn cael ei gario trwy'r aer nes iddo aflonyddu ar y gronynnau yn ymyl pilen eich clust, gan wneud i'r bilen ddirgrynu hefyd a gwneud i chithau glywed y sain.

Gwahanol ffyrdd o gynhyrchu sain

Mae'n bosibl gweld bod rhai gwrthrychau sy'n cynhyrchu sain yn dirgrynu. Yr enghraifft amlwg yw tant gitâr. (Mewn gwirionedd, mae'r rhan fwyaf o'r sain yn dod o gorff y gitâr, sy'n symud wrth i donnau sain deithio trwy'r bont solid sy'n dal y tannau ynghlwm wrth y gitâr.) Ffordd well o ddangos y dirgryniadau yw defnyddio darseinydd eithaf mawr wedi'i droi â'i wyneb tuag i fyny a'i gysylltu i fwyadur. Gallwch weld y darseinydd yn symud; neu os rhowch wrthrychau bach (fel reis sych) arno, byddant yn neidio. Os rhowch eich dwylo ar eich gwddf wrth hymian, fe deimlwch y dirgryniadau.

Mae gan bob sain ddwy briodwedd unigryw, sef traw ac osgled. Mae traw sain yn dibynnu ar amledd y dirgryniad – hynny yw, sawl gwaith y mae'r gwrthrych yn symud yn ôl a blaen bob eiliad. Po uchaf yw cyfradd y dirgryniad, uchaf yw traw y sain. Yn fras, mae pobl yn gallu clywed seiniau yn cael eu cynhyrchu gan wrthrychau sy'n dirgrynu gydag amledd o rhwng 20 a 20,000 gwaith yr eiliad. Mae gwyddonwyr yn galw un dirgryniad yr eiliad yn 1 hertz (Hz), felly gall pobl glywed seiniau rhwng 20 Hz a 20 kHz. Dirgryniad uwchsonig yw unrhyw beth sy'n uwch na hynny, ac is-sonig yw unrhyw beth dan 20 Hz. Mae anifeiliaid yn clywed pethau ar wahanol amleddau i ni. Mae ci yn gallu clywed chwib 'di-sain'. Ni allwn ni ei chlywed gan ei bod yn uwchsonig i ni. Mae morfilod mawr yn cyfathrebu trwy gyfrwng dirgryniadau sydd â'u hamledd yn rhy isel i ni eu clywed.

Tonnau sain sfferig yn ymledu o'r ffynhonnell

Sut mae seiniau yn teithio?

Mae'r gwrthrych sy'n dirgrynu yn gwthio'r aer tuag allan mewn tonnau sy'n ymledu mewn cylch i ffwrdd oddi wrth y ffynhonnell sain. Ond, nid tonnau 'i fyny ac i lawr', fel tonnau ar ddŵr, yw'r rhain. Wrth i'r gwrthrych sy'n dirgrynu symud tuag allan mae'n cywasgu'r aer. Wrth iddo symud yn ôl mae'n tynnu'r aer yn ei sgil, a thrwy hynny'n creu ardal o wasgedd isel (o'r enw 'teneuad' – sef croes i gywasgiad). Mae haenau o aer cywasgedig a theneuedig bob yn ail yn ymledu oddi wrth y gwrthrych. Dyna yw tonnau sain. Mae'r diagram yn rhoi syniad bras o sut mae'r tonnau yn ymledu; ond wrth gwrs, gan mai llun fflat ydyw, mae'n dangos cylchoedd yn hytrach na'r sfferau a geir mewn gwirionedd.

Tonnau sain yn teithio trwy folecylau o aer o'r dde i'r chwith

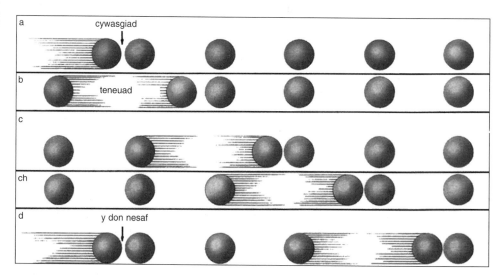

Mae tonnau sain yn teithio oherwydd bod y molecylau aer sy'n cael eu haflonyddu gan y ffynhonnell sain yn gwrthdaro yn erbyn y molecylau wrth eu hymyl. Ychydig iawn o bellter y mae pob molecwl yn symud; a symudiad osgiladol yw dirgryniad, sef symudiad yn ôl a blaen. Felly, nid oes unrhyw sylwedd yn symud mewn gwirionedd o'r ffynhonnell at y sawl sy'n clywed. (Weithiau mae'r plant yn credu, yn anghywir, fod rhyw sylwedd yn symud trwy'r aer.) Dim ond y tonnau sain sy'n symud ar ffurf curiadau o un molecwl i'r molecwl nesaf.

Gellir dangos sut y mae tonnau sain yn teithio heb i'r aer ei hun deithio trwy ddefnyddio sbring Slinky hir gydag un pen yn sownd wrth wal, fel y dangosir isod.

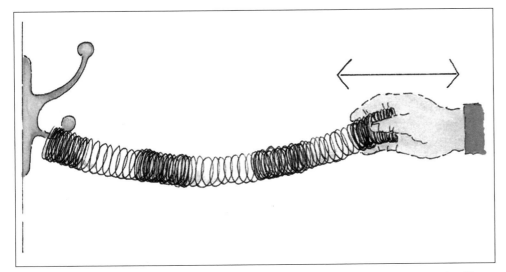

Model sbring o don sain

Dull arall effeithiol yw gosod plant mewn llinell, gyda phawb yn wynebu i'r un cyfeiriad a'u dwylo ar gefn y sawl sydd o'u blaenau. Wrth i chi ysgwyd y plentyn ar un pen i'r llinell mae ton yn teithio ar hyd y rhes i gyd.

Mae tonnau sain yn teithio 332 metr yr eiliad yn yr aer ar lefel y môr ar 0 °C. Maent yn teithio'n gynt mewn hylif (1461 metr yr eiliad mewn dŵr), ac yn gyflymach byth mewn solid (gymaint â 6000 metr yr eiliad mewn gwenithfaen).

Wrth i donnau sain daro pilen y glust, mae'r molecylau aer sy'n dirgrynu yn symud y bilen mewn ffordd debyg. Mae'r symudiad yn cael ei drosglwyddo i'r glust fewnol trwy dri asgwrn bychan iawn. Yno mae'n symbylu nerfgelloedd sy'n 'tanio', gan gynhyrchu curiadau trydanol bach. Trafodir y clyw yn fanylach isod. Gellir dangos sut y mae tonnau sain yn symud pilen y glust trwy roi'ch bys yn ysgafn ar groen tambwrîn wrth i rywun weiddi ar yr ochr arall.

Mewn gwirionedd, prin iawn yw'r gwrthrychau sy'n dirgrynu mewn ffordd gyson, syml wrth wneud sain, fel ag y mae'r sbring uchod. Mae'r rhan fwyaf o wrthrychau yn dirgrynu ar nifer o wahanol amleddau yr un pryd. Mae'r diagram yn dangos y tonnau sain a gyhyrchir gan chwib, wedi'i gofnodi gan ddyfais drydanol o'r enw osgilosgop.

Ffurf y don a gynhyrchir gan chwib

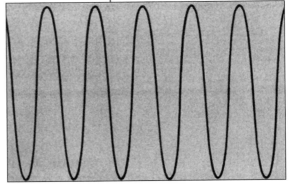

Mae sain gerddorol gyda thraw y gellir ei adnabod yn cael ei hachosi gan ddirgryniadau cyson ar amledd penodol, ac efallai y bydd dirgryniadau eraill cyflymach sydd ag amledd 2, 3 neu 4 gwaith yn fwy. Enw'r dirgryniadau cyflym hyn yw harmonigau neu uwchdonnau. Maent yn swnio'n ddymunol os oes cymhareb fathemategol syml rhyngddynt â'r prif ddirgryniad (a elwir yn ddirgryniad sylfaenol) – 2:1, 3:2, ac ati. Mae ychwanegu harmonigau yn gwneud y don yn llawer mwy cymhleth, fel y dangosir isod.

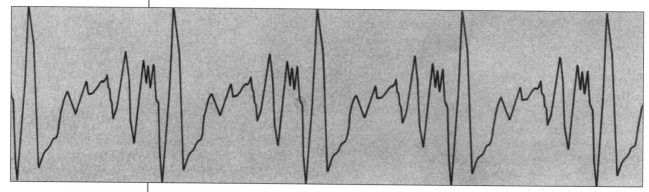

Osgilosgop yn olrhain ton sain gan ddangos ton sylfaenol gyda harmonigau

Os nad yw'r gymhareb yn un syml, mae'r sain yn annymunol, yn angherddorol. Sŵn yw enw sain sy'n cynnwys cymysgedd ar hap o wahanol amleddau. Enghreifftiau o sŵn yw sain y gwynt neu hisian y radio rhwng y gorsafoedd.

Beth yw amledd a thraw?

Gellir dangos y cysylltiad rhwng amledd a thraw gyda gwahanol offerynnau cerdd. Wrth ddyblu amledd sylfaenol nodyn mae'r traw yn codi un wythfed. Amledd y nodyn a elwir yn C ganol ar biano yw 256 Hz, neu 256 dirgryniad yr eiliad. Ar amledd o 256 Hz, mae'r cywasgiadau sy'n ffurfio'r tonnau sain tua 1.3 m ar wahân. Mae nodyn wythfed yn uwch nag C ganol yn cael ei gynhyrchu gan wrthrych sy'n dirgrynu ar 512 Hz, sef dwywaith yr amledd.

Po uchaf amledd y sain, byrraf yw'r donfedd. Mae dyblu'r amledd yn haneru'r donfedd. Mae'r un rheol yn wir am dant sy'n dirgrynu. Gallwch ddangos sut y mae rhoi eich bys ar ganol tant y gitâr yn codi'r traw un wythfed. Mae'r tant yn dirgrynu ddwywaith cyn gyflymed, gan gynhyrchu nodyn un wythfed yn uwch.

Mewn offeryn chwyth, mae'r traw yn dibynnu ar hyd y golofn o aer sy'n dirgrynu y tu mewn i'r offeryn. Mae'r dirgryniad yn cael ei achosi wrth i chi chwythu aer trwy sianel o siâp arbennig. Y sianel hon yw'r twll cul mewn darn ceg recorder neu offeryn corsen, neu chwythu dros y twll mewn ffliwt. Mewn offeryn pres gwefusau'r offerynnwr sy'n ffurfio'r sianel. Mae hyd y golofn aer yn cael ei newid trwy agor twll neu, mewn offeryn pres, agor falf sy'n rhoi darn ychwanegol o diwb yn y system. Gallwch ddangos sut y mae agor y twll uchaf ar recorder yn haneru hyd y tiwb rhwng y darn ceg a'r aer agored ar waelod y recorder, a thrwy hynny'n codi traw y nodyn un wythfed yn uwch. Ffordd arall o godi'r traw un wythfed yw trwy orchwythu – chwythu mor galed nes bod yr uwchdon gyntaf a'r gryfaf, sef yr ail harmonig, yn gryfach na'r nodyn sylfaenol.

Mewn graddfa gerddorol, mae gan amleddau'r nodau gymarebau syml. Mewn graddfa sy'n dechrau ar C, cymhareb y nodyn G yw 3:2 i amledd C, a 4:3 i amledd D. Cymhareb D i C yw 9:8.

Beth yw osgled a seinfanedd?

Osgled y don yw faint y mae unrhyw ronyn yn symud o'i ganolbwynt. Bach iawn yw'r pellter y mae'r molecylau yn symud mewn gwirionedd. Gallwn glywed sain sy'n symud molecylau aer trwy fil miliwnfed rhan o gentimetr. Byddai sain sy'n symud y molecylau ganfed rhan o gentimetr yn niweidio'r glust.

Yr osgled sy'n penderfynu i ba raddau y mae'r aer yn cael ei gywasgu a'i deneuo. Mae'r gwahaniaethau mewn gwasgedd yn fach iawn mewn gwirionedd. Osgled sydd hefyd yn rheoli seinfanedd (neu gryfder) y sain, sy'n amrywio gyda sgwâr yr osgled. Os dyblir yr osgled, mae'r cryfder yn cynyddu bedair gwaith. Ystyr 'seinfanedd' yma yw faint o egni sydd yn y sain. Mae'r glust fodd bynnag yn clywed seinfanedd yn wahanol. Er mwyn gwneud i'ch llais swnio ddwywaith yn gryfach i wrandäwr rhaid i chi ddefnyddio deg gwaith gymaint o egni – fel y gŵyr athrawon yn iawn.

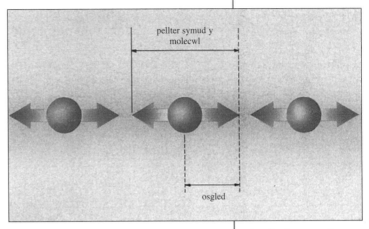

Osgled ton sain

Mae cryfder sain yn cael ei fesur mewn decibelau (dB). Gan fod sain yn colli egni wrth deithio oddi wrth ei ffynhonnell, mae'r gwerth dB yn dibynnu ar yr egni gwirioneddol a gynhyrchir gan y ffynhonnell yn ogystal â pha mor bell yw'r gwrandäwr neu'r mesurydd sŵn o'r ffynhonnell. Gan fod y sain yn ymledu oddi wrth y ffynhonnell i bob cyfeiriad, dim ond rhan fechan o'r egni sy'n cyrraedd y gwrandäwr.

Gyda llaw, mae pob egni sain yn cynhesu'r aer yn y pen draw. Ond gan mai ychydig iawn o egni gwirioneddol sydd gan hyd yn oed y seiniau cryfaf, nid yw'r cynnydd mewn tymheredd i'w deimlo.

Mae decibelau yn cael eu cyfrifo mewn dull braidd yn gymhleth, sy'n cyfateb fwy neu lai i'r ffordd rydym yn synhwyro pa mor gryf yw'r sain. Am bob cynnydd o 10 dB mae'r sain yn ymddangos ddwywaith cyn gryfed. Er enghraifft, mae sain 60 dB ddwywaith cyn gryfed â sain 50 dB, a phedair gwaith cyn gryfed â sain 40 dB. Mae sgwrsio cyffredin mewn ystafell tua 60 dB. Gallai awyren jet sy'n hedfan uwch ein pen fod yn 100 dB, gan ddibynnu ar ba mor swnllyd a pha mor isel y mae'n hedfan. Byddai sain 120 dB yn peri poen yn syth. Bydd sain dros 90 dB am gyfnod hir – mewn ffatri er enghraifft – yn niweidio'r clyw yn y pen draw, a dyma pam y cynghorir gweithwyr yn aml i wisgo offer dros eu clustiau i'w diogelu. Mae stereos personol hefyd yn gallu achosi niwed i'n clustiau, ac mae llawer o bobl ifanc yn eu harddegau eisoes yn rhannol fyddar. Ymateb y glust i amleddau uchel sy'n cael ei golli yn gyntaf, a'r amleddau hyn sydd fwyaf pwysig wrth ddeall pobl yn siarad. Mae amleddau uchel hefyd yn cael eu colli'n naturiol wrth fynd yn hŷn, sy'n egluro pam mae pobl yn graddol fynd yn drwm eu clyw.

Sut gallwn ni ddangos bod sain yn teithio?

Mae'n bosibl na fydd y plant yn sylweddoli bod sain yn gallu teithio trwy bethau heblaw aer. Yn wir, mae'n gallu teithio trwy unrhyw sylwedd – ond nid trwy wactod. O ganlyniad, nid oes sain yn y gofod. Po ddwysaf a chaletaf y cyfrwng, gorau y mae'r sain yn teithio. Y mae'n mynd yn gyflymach, ond hefyd mae'n colli llai o egni. Mae system gwres canolog yn enghraifft ardderchog. Trwy roi eich clust ar un o'r pibau mae'n bosibl y clywch sŵn pwmp y bwyler yn y pellter. Yn sicr, gallwch glywed rhywun yn curo'n ysgafn ar reiddiadur mewn ystafell arall. Enghreifftiau eraill o sain yn teithio'n dda mewn cyfrwng dwys yw'r olygfa gyffredin yn yr hen ffilmiau Cowbois lle mae'r Indiad Americanaidd yn rhoi ei glust ar y ddaear i glywed y ceffylau yn dynesu, neu'r ffaith fod morfilod yn gallu clywed ei gilydd gannoedd o filltiroedd i ffwrdd (mae'r seiniau isel eu traw yn gwneud hyn yn haws: mae amleddau is yn cario'n gryfach dros bellteroedd mawr). Hyd yn oed yn y pwll nofio, gallwch glywed sŵn pobl eraill pan ydych chi dan y dŵr.

Felly, os yw sain yn teithio'n well trwy solid na thrwy aer, pam y mae cau ffenestr yn lleihau'r sain sy'n dod i mewn i'r ystafell? Y rheswm yw fod llawer o'r sain yn cael ei cholli wrth deithio o'r aer i mewn i'r gwydr fel bod llawer o'r sain yn cael ei hadlewyrchu oddi ar yr wyneb gwydr.

Mae'n eithaf hawdd dangos bod angen amser ar sain i deithio mewn aer. Wrth i chi daro caead bin sbwriel gyda ffon, bydd pobl sy'n gwylio rai cannoedd o fetrau i ffwrdd yn gallu gweld y ffon yn taro'r caead cyn clywed y sain. Wrth wneud yr un peth tua 50 m oddi wrth wal frics dylai gynhyrchu atsain. Mae'r ail sain yn digwydd oherwydd bod y sain wreiddiol yn cymryd amser penodol i deithio at y wal ac yn ôl drachefn.

Yn y cyfnod cyn bod dyfeisiau electronig ar gael i amseru, byddai gofyn i feirniad ras ddechrau amseru wrth weld y mwg yn dod o'r dryll ar ddechrau'r ras yn hytrach nag wrth glywed y glec. Mae mellt i'w gweld cyn i chi glywed sain y daran o'r un fflach. (Mae saib o 3 eiliad yn golygu bod y mellt union 1 cilometr i ffwrdd.)

Mae awyren orsonig yn hedfan yn gyflymach na buanedd sain. Ni all y molecylau aer symud yn ddigon cyflym i wahanu a gadael i'r awyren fynd trwodd yn llyfn. Yn hytrach, mae'r awyren yn eu taro'n ffyrnig o'r ffordd, gan achosi ton sioc sy'n ymledu ac i'w chlywed ar y ddaear fel sŵn cryf – sef y bŵm sonig. Oherwydd bod yr awyren yn teithio atoch yn gyflymach na sain, ni chlywch y bŵm nes bydd yr awyren wedi hedfan heibio.

Beth sy'n digwydd wrth i sain daro gwrthrych?

Gallwn ddefnyddio sain sy'n adlewyrchu oddi ar arwynebau caled. Yn yr awyr agored, lle nad oes llawer o adlewyrchiad, mae seiniau'n diflannu'n gyflym dros bellter byr. Mewn neuadd, lle mae'r sain yn adlamu oddi ar y waliau, gall siaradwr annerch torf fawr heb ficroffon a chael ei glywed yn well na phetai yn yr awyr iach.

Mewn gwirionedd gall neuadd adlewyrchu gormod o sain, ac os yw'n neuadd fawr mae'n bosibl y ceir atseiniau diangen. Fel arfer, rhoddir sylw mawr i acwsteg neuaddau – hynny yw, mae angen cynllunio'n ofalus sut y mae'r sain yn ymddwyn o fewn y gofod. Mae adlewyrchiad sain yn cynyddu os oes arwynebau caled, llyfn, a lleihau os oes arwynebau meddal neu anghyson sy'n amsugno neu'n gwasgaru'r sain. Yn aml gellir symud yr arwynebau, fel bod modd newid yr acwsteg. Mae angen acwsteg 'cynnes' soniarus ar gyfer cerddoriaeth, ac un 'sych' gydag ychydig o soniaredd ar gyfer llefaru. Yn aml, rhoddir defnydd meddal i orchuddio'r seddi: felly mae sedd wag yn amsugno yr un faint o sain â sedd gyda rhywun yn eistedd arni, ac felly mae'r acwsteg yn gyson boed y neuadd yn llawn neu'n wag.

Mae'r trwmped clust hen ffasiwn yn defnyddio adlewyrchiad sain i gasglu sain a'i chyfeirio ar hyd tiwb. Yn yr un modd, mae'r siâp ar flaen trwmped cerddorol yn ceisio cyfeirio cymaint o sain â phosibl allan o du blaen y trwmped.

Mae'r ystlum a'r dolffin yn defnyddio adlewyrchiad sain i hela a darganfod eu ffordd. Mae'r ddau anifail yn anfon curiadau cyson o seiniau amledd uchel sy'n cael eu hadlewyrchu oddi ar wrthrychau o'u cwmpas. Trwy ganfod yr adlewyrchiadau gallant ddweud yn union lle mae'r gwrthrych a pha mor bell ydyw. Mae gwyddonwyr wedi rhyddhau ystlumod mewn ystafell dywyll gydag edau wnïo yn crogi yma ac acw. Ni chafodd yr un darn o edau ei daro gan ystlum. Gall dolffin sy'n gwisgo mwgwd wahaniaethu rhwng peli dur 4 a 4.5cm ar eu traws. Mae'r anifeiliaid hyn yn defnyddio amleddau uchel oherwydd y gellir eu cyfeirio mewn paladr cul ac mae'r donfedd fer yn golygu y gallant ganfod gwrthrychau bach. Mae'r ddau anifail yn defnyddio amleddau sy'n rhy uchel i ni eu clywed. Mae'r paladr o seiniau a gynhyrchir gan yr anifail yn cael ei siapio gan arwynebau adlewyrchol – mewn ystlum maent ar du allan ei drwyn, ac esgyrn penglog y dolffin sy'n adlewyrchu'r sain.

Mae seinydd atsain mewn llong yn defnyddio'r un egwyddor, ond nid yw traw y seiniau mor uchel yma, er mwyn iddynt deithio ymhellach. Mae paladr o donnau sain yn sganio ar draws gwely'r môr ac mae'r atseiniau sy'n dychwelyd at y llong yn cael eu troi'n llun ar deledu sy'n dangos trawstoriad o wely'r môr. Mae'r sain yn cael ei hanfon a'i derbyn gan drawsddygiadur – dyfais sy'n newid signalau o un ffurf i ffurf arall, yn yr achos hwn o sain i drydan.

Seinydd atsain

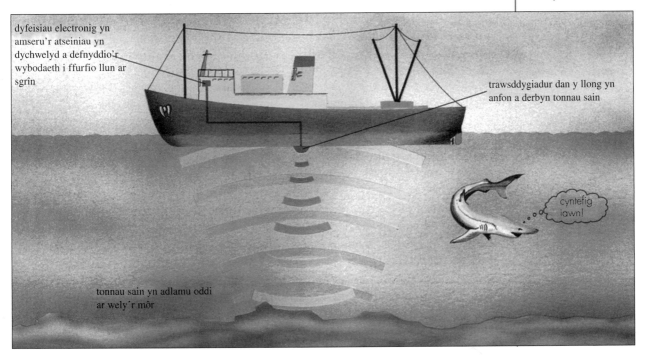

dyfeisiau electronig yn amseru'r atseiniau yn dychwelyd a defnyddio'r wybodaeth i ffurfio llun ar sgrîn

trawsddygiadur dan y llong yn anfon a derbyn tonnau sain

tonnau sain yn adlamu oddi ar wely'r môr

cyntefig iawn!

Mae meddygon yn defnyddio techneg sganio uwchsain, sy'n defnyddio amleddau uchel iawn i roi'r lluniau gorau posibl. Mae'r amledd uchel yn golygu mai tonfedd fer iawn sydd i'r don felly mae'n gallu dangos pethau yn fanwl iawn. Mae'r ddyfais sy'n anfon a derbyn y sain (trawsddygiadur eto) yn cael ei gosod ar y corff. Fel arfer mae eli yn cael ei roi ar y croen fel nad oes bwlch o aer rhwng y croen a'r trawsddygiadur, a gall y sain deithio'n haws. Mae gwahanol feinweoedd yn y corff yn adlewyrchu sain ar wahanol gryfderau. Mae cyfrifiadur yn dadansoddi'r atseiniau gan greu llun o'r corff a'r meinweoedd y tu mewn i'r corff. Dangosir y llun ar sgrîn.

Sut mae canfod sain?

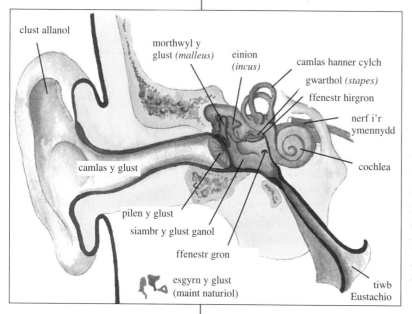

clust allanol

morthwyl y glust (*malleus*)

einion (*incus*)

camlas hanner cylch

gwarthol (*stapes*)

ffenestr hirgron

nerf i'r ymennydd

cochlea

camlas y glust

pilen y glust

siambr y glust ganol

ffenestr gron

esgyrn y glust (maint naturiol)

tiwb Eustachio

Diagram o'r glust

Mae'r diagram yn dangos llwybr sain o'r glust i'r ymennydd. Mae dirgryniad yr aer yn symud pilen (neu dympan) y glust. Mae'r symudiad bach yn cael ei fwyhau gan esgyrn y glust, y *malleus*, yr *incus* a'r *stapes* – sef y Lladin am forthwyl, einion a gwarthol, oherwydd eu siâp; maen nhw'n gweithio fel liferau mewn gwirionedd. Mae'r darn ar siâp coil, o'r enw cochlea – sy'n golygu malwen – yn cynnwys llawer o nerfgelloedd sy'n debyg i flew. Mae pob un o'r nerfgelloedd yn ymateb i sain o draw arbennig. Mae signalau o'r celloedd hyn yn teithio ar hyd nerf y clyw i'r ymennydd. Mae'r cochlea yn llawn hylif, felly gall y sain deithio'n well nag y byddai mewn aer.

Mae microffon yn enghraifft arall o drawsddygiadur sy'n troi sain yn signal trydanol. Mae sawl math o ficroffon i'w cael (rhai electromagnetig, rhai sy'n defnyddio cynhwysydd a microffonau grisial), ond ym mhob un ohonynt mae'r don sain yn gwneud i ddiaffram ddirgrynu. Mae symudiad y diaffram yn gwneud i gryfder cerrynt trydanol amrywio, gan ailgreu'r don sain ar ffurf signal trydanol.

Efallai fod llawer o blant yn meddwl mai'r fflap o groen allanol yn unig yw eu clustiau, ac y byddant yn synnu o sylweddoli bod y rhannau sy'n gweithio y tu mewn i'w pen. Dyfais sy'n casglu sain a'i sianelu i mewn i'r glust yw'r glust allanol. Dim ond mamolion sydd â fflapiau allanol ar eu clustiau – ac nid oes gan bob mamolyn glust allanol. Er enghraifft, nid oes gan forfil dwll clust hyd yn oed, ac nid oes arno eu hangen oherwydd bod sain yn teithio'n well mewn dŵr nag yn yr aer. Mae'r sain yn cyrraedd y glust fewnol trwy'r croen. Mae clyw pob morfil yn llawer gwell na chlyw pobl.

Gallwn ddweud o ba gyfeiriad y daeth sain oherwydd y gwahaniaeth bach iawn sydd yn yr amser rhwng i'r sain gyrraedd y glust ar yr ochr sy'n wynebu'r sain, a chyrraedd y glust sy'n wynebu draw oddi wrth y sain. Mae sain stereo yn defnyddio'r un egwyddor i ail-greu'r argraff fod gan y sain leoliad arbennig yn y gofod o'ch cwmpas. Mae'r seiniau a gynhyrchir gan gerddorfa neu grŵp yn cael eu recordio gan ddau ficroffon wedi'u gosod mewn gwahanol leoedd. Yna mae'r seiniau hyn yn cael eu hailchwarae, gan anfon y sain o un microffon trwy un darseinydd a'r sain

COLEG Y DRINDON CAERFYRDDIN
LLYFRGELL LIBRARY
TRINITY COLLEGE CARMARTHEN

o'r ail ficroffon trwy ddarseinydd arall. Mae'r ymennydd yn cyfuno'r seiniau ac, oherwydd bod gwahaniaethau bach yn yr amser y mae'r sain o bob darseinydd yn ei gymryd i'ch cyrraedd, mae'n creu'r argraff bod y seiniau yn dod o wahanol fannau.

Beth yw'r berthynas rhwng goleuni a sain?

Mae goleuni a sain yn ddau ffenomenon ffisegol hollol ar wahân. Yr unig beth sy'n gyffredin rhyngddynt yw fod y ddau yn symud ar ffurf tonnau. Ond eto mae'r tonnau yn wahanol iawn: ton gywasgiad yw sain ac mae angen cyfrwng iddi deithio trwyddo, ond ton electromagnetig yw goleuni a gall deithio trwy wagle. Er mwyn deall sut y mae hyn yn digwydd, mae angen deall ffiseg eithaf cymhleth, felly ni roddir cynnig ar esboniad yn y fan hyn. Mewn aer mae tonnau sain yn teithio ychydig dros 330 metr bob eiliad, tra bo tonnau goleuni yn teithio 300 000 cilometr yr eiliad yn y gofod, ac ychydig yn arafach mewn cyfryngau eraill.

Oherwydd mai tonnau yw goleuni a sain, maent ill dau yn gallu adlewyrchu oddi ar wrthrychau (er nid yr un gwrthrychau), yn gallu plygu wrth deithio o un sylwedd i un arall, a phan fydd tonnau o wahanol ffynonellau yn croesi llwybrau ei gilydd maent yn atgyfnerthu ei gilydd neu'n dileu ei gilydd, sef cyflwr a elwir yn ymyriant. Mae'r holl effeithiau hyn yn nodweddiadol o fudiant ton yn gyffredinol. Fel arall, mae sain a goleuni yn rhy wahanol iddi fod o fantais eu cymharu.

acwsteg neuaddau 78-79
adlewyrchu sain 8, 27, 48, 49, 59
   cefndir gwyddonol 78-80
   syniadau'r plant 70
   gweler hefyd atseiniau
adnoddau 25
amgylchedd, sain yn yr 13, 28, 47
amledd (*frequency*) 8, 27, 28
   cefndir gwyddonol 74-76
Amrywiaeth bywyd 14
amseru ras 78
anifeiliaid
   clustiau 43, 45
   clyw 14, 43, 74
   defnyddio atseiniau 61, 79
   seiniau 43
asesu 11, 66-72
atseiniau (*echoes*) 8, 27, 48, 49
   cefndir gwyddonol 78
   darganfod 60-61
   defnyddio 14, 79
   syniadau'r plant 51-52, 56-57

bandiau elastig, estyn a thynnu 29, 30-31, 41-42
blychau cerddoriaeth 13, 14
bŵm sonig 80
byddardod *gweler* clyw, colli

cerddoriaeth ac offerynnau cerddorol (topig) 13
cloc cwcw 13, 14
clust 8, 36, 75
   cefndir gwyddonol 80-81
clustiau 27, 29, 45, 47
   niwed 29
   syniadau'r plant 35-36
   ystyriaethau diogelwch 25
   gweler hefyd clyw
clyw 8, 28, 43-47
   cefndir gwyddonol 73, 77, 80-81
   colli 13-14, 25, 44, 77
   gwella 45-46
   mewn anifeiliaid 14, 43, 74
   profion 45, 46
   syniadau'r plant 31-32, 35-36, 50
   ystod clyw pobl 74
corn niwl 12
cryfder sain (*loudness*) 13, 27, 28, 29
   cefndir gwyddonol 77
   graddfa asesu 44
   lleihau 28, 29
   gweler hefyd seinfanedd
'cwis seiniau' 43
cyfathrebu (topig) 14-16
cymhorthion clyw 29, 45
cynllunio rhaglen wyddonol 22-24

chwaraeon, seiniau mewn 12
chwiban, tonnau sain 75

decibel (dB) 77
diaffram 29, 80
diogelwch 25
   goblygiadau sŵn 13
dirgryniadau (*vibrations*) 8, 27, 28, 29, 48, 49
   arddangos 41, 74
   cefndir gwyddonol 73-74, 75
   is-sonig 74
   syniadau'r plant 34, 43, 70
      asesu 69, 70, 72
   uwchsonig 74
dolffin, defnyddio atseiniau 79
drama sain i'r radio 42

drymiau 8
   arddangos dirgryniadau 41
   cymharu 40-41
   syniadau'r plant 30
      asesu 70

ffôn llinyn 51, 54, 62
   asesu syniadau'r plant 67-70

gitâr, tant yn dirgrynu 74, 76
goleuni
   asesu syniadau'r plant 71
   cyflymder 8
   cymharu â sain 81
gwrando 31
Gwyddoniaeth Arbrofol ac Ymchwiliol 10-11

harmonigau *gweler hefyd* uwchdonnau 75-76
hertz (Hz) 76

larwm a rhybudd (topig) 12
larwm tân 12

llefaru, problemau 45

llinyn, sain yn teithio mewn 8
   gweler hefyd ffôn llinyn
llyfrau disgyblion 17-21
llygredd sŵn *gweler* sŵn

microffon 80
morfilod 78, 80

offerynnau cerdd 8, 13, 28
   cefndir gwyddonol 73, 76
   cymharu 37, 40-41
   gweler hefyd drymiau
offerynnau llinynnol 42
osgled (*amplitude*) 8, 27, 28, 74
   cefndir gwyddonol 77

peirianwaith cloc 13, 14
pilen y glust (*eardrum*) 8, 29, 46
   syniadau'r plant 36
   gweler hefyd tympan y glust
plygiau clust, ystyriaethau diogelwch 25
pren mesur, plycio 29, 41, 72
profion teg 63

recordio, seiniau ar dâp 43, 44

sain 8, 28, 29
   adnabod a gwahaniaethu 43
   amsugno 49
   canfod 27, 28, 46
      cefndir gwyddonol 80-81
      gweler hefyd clyw
   cefndir gwyddonol 73-81
   cyfeiriad 44-45, 47, 64, 80
   cyflymder 8, 49, 60
      asesu syniadau'r plant 71
      cefndir gwyddonol 75
   cymharu â goleuni 81
   cynrychioli 48, 64
   ffynhonnell 58
   gwneud a derbyn (thema) 8, 27, 28-47
      syniadau'r plant 30-36
   lledaenu 27, 48, 49
   lleoliad 14
   mwyhau 14, 29
   pa mor hawdd ei chlywed 44
   recordio ac atgynhyrchu 13, 14

rhwystro 46-47, 62, 78
teithio (thema) 8, 27, 48-65
   cefndir gwyddonol 78
   syniadau'r plant 50-65
teithio rownd corneli 64-65
teithio trwy ddefnyddiau 8, 27, 48, 49, 61-62
   asesu syniadau'r plant 54
   asesu 67-70
   cefndir gwyddonol 78
trafod 43
   cefndir gwyddonol 75
   syniadau'r plant 54
      asesu 67-70
   gweler hefyd amgylchedd, sain; adlewyrchu sain
Sain a cherddoriaeth a *Rhagor am sain a cherddoriaeth* 17-21, 31, 40, 41, 42, 43, 45, 47, 58, 61, 63
sbring Slinky, model o donnau sain 75
seinfanedd (*loudness*)
   gweler cryfder sain
seiniau cerddorol 29
   cefndir gwyddonol 75-76
seiniau rhybuddio 44
   gweler hefyd larwm a rhybudd
seinydd atsain (*echo sounder*) 14, 79
sganio uwchsonig 80
soniaredd (*timbre*) 29
stereo 80-81
stethosgop 45, 46
stormydd mellt a tharanau 60, 78
   asesu syniadau'r plant 71
sŵn 13, 29, 47, 76
   lleihau 48, 62
   ystyriaethau diogelwch 25
system gwres canolog, seiniau mewn 78

'taith wrando' 13, 31
tambwrîn (model o bilen y glust) 75
Targed Cyrhaeddiad 1 66-70
technoleg gwybodaeth 17
tiwb siarad 65
tiwnio offerynnau 13
tonnau sain 27, 48, 81
   cefndir gwyddonol 74-76
   syniadau'r plant 55, 64
      asesu 72
   tonfedd (*wavelength*) 76
topigau trawsgwricwlaidd 12-16
traw (*pitch*) 13, 27, 28, 29
   cefndir gwyddonol 74, 76
trawfforch 41
trawsddygiaduron (*transducers*) 79, 80
trwmped clust 29, 32, 35, 45, 46, 79
Trydan a magnetedd 14
tympan y glust (*eardrum*) 8, 29, 46
   gweler hefyd pilen y glust

uwchdonnau (*overtones*) 75-76
   gweler hefyd harmonigau
uwchsonig (*ultrasonic*) 74

ymdriniaeth SPACE 5, 7, 12
ymennydd 8, 29, 81
   syniadau'r plant 36
ymyriant (*interference*) (tonnau) 81
ystlumod, defnyddio atseiniau 79

Ysgolion treialu

Mae Project SPACE a'r Ymddiriedolaeth yn ddiolchgar i lywodraethwyr, staff a disgyblion yr holl ysgolion treialu. Bydd yn amlwg i ddarllenwyr y cyhoeddiadau hyn gymaint yw ein dyled iddynt am eu cymorth, ac yn enwedig i'r plant am gofnodion ysgrifenedig a darluniau o'u gwaith caled a'u dealltwriaeth gynyddol o wyddoniaeth.

Ysgol Gynradd All Saints, Barnet, Swydd Hertford
Ysgol Gynradd Sirol Ansdell, Lytham St Anne's, Swydd Gaerhirfryn
Ysgol Iau Eglwys Loegr Bishop Endowed, Blackpool
Ysgol Gynradd Brindle Gregson Lane, Swydd Gaerhirfryn
Ysgol Iau a Babanod Brookside, Knowsley
Ysgol Gynradd Chalgrove, Finchley, Llundain N3
Ysgol Gynradd Gatholig Christ the King, Blackpool
Ysgol Gynradd Gatholig English Martyrs, Knowsley
Ysgol Gynradd Sirol Fairlie, Skelmersdale, Swydd Gaerhirfryn
Ysgol Gynradd Fairway, Mill Hill, Llundain NW7
Ysgol Gynradd Foulds, Barnet, Swydd Hertford
Ysgol Gynradd Sirol Frenchwood, Preston
Ysgol Gynradd Grange Park, Llundain N21
Ysgol Gynradd Hallesville, Newham, Llundain E6
Ysgol Gynradd Heathmore, Roehampton, Llundain SW15
Ysgol Iau Honeywell, Llundain SW11
Ysgol Iau Eglwys Loegr Huyton, Knowsley
Ysgol Iau Longton, Preston
Ysgol Gynradd Eglwys Loegr Mawdesley, Swydd Gaerhirfryn
Ysgol Fabanod Moor Park, Blackpool
Ysgol Gynradd Sirol Mosscroft, Knowsley
Ysgol Gynradd Nightingale, Llundain E18
Ysgol Gynradd Oakhill, Woodford Green, Essex
Ysgol Gynradd Sirol Park Brow, Knowsley
Ysgol Iau Park View, Knowsley
Ysgol Iau Purford Green, Harlow, Essex
Ysgol Gynradd Ronald Ross, Llundain SW19
Ysgol Rosh Pinah, Edgeware, Middlesex
Ysgol Iau Sacred Heart, Battersea, Llundain SW11
Ysgol Fabanod Gatholig St Aloysius, Knowsley
Ysgol Gynradd Gatholig St Andrew, Knowsley
Ysgol Gynradd Gatholig St Bernadette, Blackpool
Ysgol Iau Eglwys Loegr St James, Forest Gate, Llundain E7
Ysgol Gynradd Gatholig St John Fisher, Knowsley
Ysgol Gynradd Gatholig St John Vianney, Blackpool
Ysgol Gynradd Gatholig St Mary a St Benedict, Bamber Bridge, Preston
Ysgol Gynradd Gatholig St Peter a St Paul, Knowsley
Ysgol Gynradd Gatholig St Theresa, Blackpool
Ysgol Gynradd Gatholig St Theresa, Finchley, Llundain N3
Ysgol Gynradd Sirol Scarisbrick, Swydd Gaerhirfryn
Ysgol Iau Selwyn, Llundain E4
Ysgol Gynradd Snaresbrook, Wanstead, Llundain E18
Ysgol Gynradd South Grove, Walthamstow, Llundain E17
Ysgol Fabanod Southmead, Llundain SW19
Ysgol Gynradd Eglwys Loegr Staining, Blackpool
Ysgol Gynradd Sirol Walton-le-Dale, Preston
Ysgol Gynradd Sirol West Vale, Kirkby
Ysgol Gynradd Woodridge, North Finchley, Llundain N12

COLEG Y DRINDOD, CAERFYRDDIN
GWYDDONIAETH SCIE   PT.
TRINITY COLLEGE, CARMARTHEN